OPERACIONES ENCUBIERTAS: ZULÚ

TOM STILES LIBRO DE SUSPENSO 1

ARTHUR BOZIKAS

Traducido por

NERIO BRACHO

Publicado 2021 por Next Chapter

Arte de la portada por CoverMint

Editado por Alicia Tiburcio

Textura de la contratapa por David M. Schrader, utilizada bajo licencia de Shutterstock.com

OTRA OBRA DE ARTHUR BOZIKAS

Las Gafas del Libro

AGRADECIMIENTOS

Me gustaría agradecer a quienes ayudaron a hacer posible esta novela. Gracias a mi esposa Helen y a nuestros hijos, Jimmy y Pamela, por su amor y apoyo dedicados. También, quisiera agrdecerle a nuestros padres y a toda nuestra familia cercana por su afecto incansable.

Como punto final, me gustaría dedicar esta novela a todos los donantes de sangre pasados, presentes y futuros por su preciosa generosidad. Me gusta considerarme un escritor de acción, pero mi acción siempre ha sido salvar vidas en todo el mundo. ¡Los considero a todos verdaderos héroes de acción!

Arthur

1

UN RAYO ATRAVESÓ LAS GASTADAS PERSIANAS DEL MOTEL Viajero . Tom Stiles abrochó su Jaeger-LeCoultre alrededor de su muñeca, su rostro palpitaba entre la luz y la oscuridad. La lluvia se precipitaba afuera.

"Natasha, se acabó el verano", dijo Tom, sin apartar la mirada de la tormenta exterior.

"Me alegro; o dio el calor. "

Tom miró por encima de la alfombra marrón grisácea y siguió el rastro del sombrero, el vestido, el sostén y las medias hasta la cama. Ella se acostó debajo de las sábanas acariciando con su brazo la almohada que aún conservaba la impresión de la cabeza de él.

"Significa que tengo que irme ahora".

Natasha se volvió hacia la mesita de noche, sacó un cigarrillo de su cigarrera con diamantes incrustados y lo encendió. "Entonces, yo solo era tu amante de temporada, ¿es eso?"

"Eres más que eso, Tash, pero sabíamos que este día llegaría".

"¡Ahórrate el discurso de 'no eres tú, todavía amo a mi esposa'!"

"Tengo que volver con mis hijas".

"No me vengas con eso, Tom. No me digas que tienes que irte; te estás ofreciendo voluntariamente para irte. Podrías llevarme contigo... Al menos quedarte una noche más. Regresa a la cama. "

Tom no giró , pero pudo ver su reflejo en el espejo. Había hecho a un lado la sábana que cubría su cuerpo. Cerró los ojos. Sabía que un vistazo más de su muslo o su silueta contra las arrugadas sábanas rosas debilitaría su determinación. Tomando un sorbo de su petaca, recogió sus pesadas botas de extinción de incendios y salió por la puerta. Escuchó un cristal romperse en la puerta detrás de él.

Tom corrió por el oscuro estacionamiento, encorvado contra la tormenta. Su BMW negro estaba estacionado junto al convertible verde oscuro de Natasha con matrícula MG 1979. Giró la llave del encendido y la radio se puso en marcha; las noticias de las 3:00 a.m. apenas comenzaban.

Tom pensó que debería sentarse bajo la lluvia. Encendió su móvil. Quince llamadas pérdidas, todas de Victoria. Bueno, ¿qué esperaba? Hacía horas que debería haber regresado a casa. Garth Brooks empezó a cantar El trueno Suena, y Tom salió a la autopista Gran Oeste.

La silueta de la ciudad palpitaba en la distancia, pero la carretera que tenía delante estaba desprovista de luces traseras. De vez en cuando pasaba un camión en dirección contraria. Se detuvo por completo en la intersección frente al semáforo en rojo y miró el reloj: las tres cuarenta y cinco. Exhaló por lo que parecía ser la primera vez ese verano. "Pronto estaré en casa", pensó. Otro verano de lucha contra incendios había terminado; otras pocas casas salvadas; algunos sustos pero sin muerte, sin cicatrices y sin daño… excluyendo el daño que le había hecho a Natasha. Pensó en ella yaciendo desnuda debajo de él de nuevo y dejó ir el pensamiento. Pronto llegaría a casa.

Exhaló de nuevo y se preguntó si realmente todavía amaba a Victoria. Se había imaginado llevar a Natasha a casa con él, pero eso no era posible. Sí, lo había contemplado, pero sabía que destruiría a Victoria. Y era demasiado pronto después de la muerte de la madre de sus hijas para volver a poner patas arriba la vida de ellas. Las chicas todavía estaban de duelo, como él, y se habían acostumbrado a que Victoria estuviera cerca.

Había perdido a sus padres cuando era niño y ese dolor lo definió. Había habido otras mujeres después de la muerte de su esposa Helen, mujeres que encontraba todos los veranos cuando se ofrecía como voluntario. Las buscaba que tuvieran algún parecido con Helen y las juzgaba contra lo que ahora se estaba convirtiendo en una imagen desvaída e idealizada de ella. ¿Pero Natasha? Se estaba enamorando de Natasha por la forma en que fumaba un cigarrillo, el ligero acento ruso que se hacía más evidente cuando soltaba palabrotas y su cuerpo infatigable.

Entonces luchó, como siempre lo había hecho, por establecer alguna conexión entre todas estas cosas. La muerte de su esposa, la muerte de sus padres y su hermano… eran como ramos marchitos abandonados al costado del camino. El largo y desafinado ruido blanco de la muerte lo había seguido toda su vida. No sintió ninguna sensación de resolución; a menudo se confundía con una pregunta imprecisa que lo despertaba, silencioso, siempre alrededor de la medianoche. Pero al lado de Natasha, dormía tranquilo.

Un destello de lo que pareció un rayo iluminó toda la encrucijada y sorprendió a Tom para que presionara los frenos aún más fuerte, mientras esperaba que las luces se pusieran en verde. Los neumáticos chirriaron detrás de él. De repente, su cuerpo se sacudió hacia adelante y el airbag explotó en su cara. El dolor lo atravesó. Y luego no hubo luces en el horizonte, ni carretera, ni autos, nada excepto el dolor de la columna vertebral hasta la punta de los dedos y una sensación de indefensión, volar espontáneamente como si hubiera entrado en un sueño recurrente. Luego, el automóvil pareció incrustarse contra el suyo. Una rueda pasó por la ventanilla del lado del conductor. Luego, oscuridad.

2

En la sala de reuniones, el 811b de la Agencia de Seguridad Nacional de Australia, el jefe de división de Operaciones Encubiertas Paul Henderson y la comandante Alexandria Tap miraban una computadora portátil. Hombres en disturbios que llevaban pasamontañas y sostenían cócteles Molotov fluían por la pantalla. Los hombres gritaban y levantaban pancartas que decían "Liberen a Carraldo".

"Cuatro jueces cubanos fueron asesinados el mes pasado", dijo Paul.

"¿Contra qué están protestando?"

"La Ley."

“Jefe, arrastre a 2.12, haga una pausa, levante y amplíe. Luego, acérquese debajo de la bandera quemada".

En la esquina oscura de la pantalla, apareció el rostro de un hombre, bien afeitado, con un ojo azul y otro verde. El hombre era viejo, caminaba con un bastón y usaba un poncho sobre lo que parecía ser una camisa blanca.

“Su nombre es Cerberus, Jefe. El perro que custodiaba las puertas del infierno. Pero lo curioso es que creemos que es su verdadero nombre".

Paul se puso de pie, se sacudió las solapas de su traje de

lana y caminó a lo largo de la habitación. Hizo una pausa y se volvió. La comandante Tap enarcó una de sus cejas larga y negra. Lo conocía lo suficiente como para anticipar que su pequeño paseo por la habitación precedería a un anuncio.

"Comandante Tap. Creo que es hora de optar por una solución más basada en el país, a partir de mañana. Este tipo sale de las sombras y luego desaparece en las sombras nuevamente. Necesitamos a alguien en el lugar".

"Necesitaremos más genios de Operaciones Encubiertas para los trabajos de explosión programados. Entonces, ¿tenemos el presupuesto para eso, Paul?

"Déjemelo a mí. Hay una sociedad que está cocinando todo en la avenida Pennsylvania. Parece que obtuvieron información de que Cerberus se dirige a Australia y lo quieren tanto como nosotros. Si los jueces comienzan a aparecer muertos en este país..."

"Jesús, en serio, ¿hay algo que pueda decirme ahora mismo?"

"Prometo decírselo cuando tenga todos los detalles. Todo lo que sé es que los dioses pueden habernos dado una opción".

"¿Te importaría compartir?"

"El hombre que queremos es un ex-Duntroon e hizo una temporada en Afganistán con nuestro Grupo de Trabajo de Operaciones Especiales. SOTG recibió la tarea de brindar seguridad durante un ejercicio de validación de entrenamiento para la Compañía de Respuesta Provincial de Uruzgan (que es la PRC-U) en Tarin Kot, Afganistán. SOTG ha trabajado con agentes de la policía especial de la RPC-U desde 2001 y entregó las operaciones en la provincia de Uruzgan en 2005".

"¿Lo conocías de Duntroon?"

"Recuerdo que pasó el año en que obtuve esta asignación. Ahora es un poco conocido públicamente y apaga incendios, literalmente. Antes de eso, fue a los Estados Unidos y trabajó para una subunidad de los Marines de los Estados Unidos, después de seis meses en West Point para completar su reclutamiento de combate de Operaciones Especiales. En realidad, hizo dos viajes por Afganistán cuando la mierda estaba en su punto más pesado. Luego, cuando estaban a punto de ascenderlo, pidió que lo trasladaran a casa. ¡Quería iniciar un negocio! "

3

Tom se sintió incorpóreo, fluido. Los lados de la carretera se habían vuelto borrosos y él estaba perdiendo la conciencia. Se volvió y miró hacia el asiento trasero y vio los rostros de su esposa muerta, sus padres muertos y su hermano muerto. Lo estaban mirando con lástima. Helen susurró: "¿Puedes oírme?"

Una luz roja se acercaba a gran velocidad, directamente hacia él, con las sirenas a todo volumen. Perdió la conciencia y en su mente vio a un leopardo que seguía el paso del coche mientras conducía. Aceleró, pero el leopardo se mantuvo a su lado, moviéndose a un trote fácil. Pensó en sus hijas, Sophia y Angela, justo cuando sus ojos se cerraron.

"¿Puedes escucharme?"

Tom se despertó con una máscara de oxígeno con dos figuras altas a su lado y la alarma en su auto sonando incesantemente. Lo llevaron en camilla a una ambulancia. El dolor palpitaba a través de su cuerpo y podía saborear la sangre. Probó el movimiento en sus extremidades y con cautela giró el cuello a izquierda y derecha. Todo necesita reparación, pensó, pero no faltaba ninguna pieza. Escuchó al paramédico decir "por detrás". Levantó las manos: estaban manchadas de sangre y la esfera de su reloj estaba destrozada. Su muñeca estaba vendada y su camisa había sido cortada revelando el delgado brazalete negro alrededor de su bíceps izquierdo.

Cuando su respiración comenzó a estabilizarse, dos vehículos policiales se detuvieron. Uno de los paramédicos informó a los oficiales que el conductor del segundo vehículo había muerto, probablemente por impacto, y que cuando los bomberos hubieran terminado de limpiar alrededor del vehículo, podrían retirar el cuerpo y comenzar las investigaciones.

Tom intentó sentarse. Escuchó a un oficial de policía que le informaba los detalles del accidente. "Conductor del primer vehículo, varón caucásico, vivo, estado estable, lesiones internas. La conductora del segundo vehículo, mujer caucásica, fallecida".

"Soy el alguacil mayor Peter Collins. ¿Está bien, señor? ", preguntó un oficial de policía, mientras sacaba su cuaderno.

"Sí... sí... creo que estoy bien, oficial", respondió Tom.

"¿Puedo ver su licencia, por favor?"

Tom sacó lentamente su billetera y se la entregó.

"Está bien, ¿ahora puede decirme qué pasó?"

"Estaba conduciendo a casa, y lo siguiente que supe fue que estaba en una camilla".

"Entonces, ¿qué está haciendo aquí después de las cuatro de un miércoles por la mañana?"

"Soy un voluntario de SES que acabo de regresar de mi último trabajo, en llamas, en el área de Faulconbridge".

El oficial escribió la palabra "voluntario" en su cuaderno y se inclinó más hacia Tom para escucharlo mejor, pero también tratando de protegerse del viento y la lluvia.

"Fui voluntario, incendios forestales de 2001. Solo para que sepas, debido al calor de las últimas semanas... debemos agradecer a Dios por esta tormenta. ¿Te sientes bien, Tom?

Tom se incorporó un poco y vio el MG verde con el frente destrozado.

Natasha. Grúas y autos de policía rodearon el automóvil. Partió una ambulancia. Las luces parpadeantes de color azul, rojo, blanco y naranja iluminaron el área, pulsando bajo la lluvia. Había sangre y vidrio en el asfalto. El vapor se elevó desde el costado de la carretera. Luego, de la nada, un helicóptero de la policía iluminó toda la zona. Tom estaba cegado. Sintió que una aguja se le clavaba en el brazo y todo se puso negro.

4

TOM LLEGÓ A CASA DESPUÉS DE QUE LE HUBIERAN colocado unos puntos y mantenido en observación durante dos horas. No tenía huesos rotos y las laceraciones no eran profundas. El médico le dijo que tenía suerte de estar vivo y se sorprendió de que no estuviera en estado de shock.

Tom lo atribuyó a ser ex-ejército. Después de todo, había pasado por baños de sangre en los puntos críticos de Afganistán. Había visto a un hombre cortado por la mitad por un lanzacohetes, y otro que había pisado una mina terrestre y todo lo que habían podido enterrar de él había sido su cabeza. Pero Tom estaba en shock. Su amante estaba muerta. Trató de sondearlo: hace unas horas ella estaba en sus brazos y ahora Natasha estaba muerta.

Era de día cuando se acercó a la puerta principal y notó que todas las luces, tanto dentro como fuera de la casa, estaban encendidas. Tom se paró sobre el felpudo de yute y se limpió la sangre de los zapatos sobre la palabra bienvenido. Abrió la puerta, entró y chasqueó los dedos. Las luces se apagaron y encontró a sus hijas gemelas sentadas en lo alto de las escaleras tomando el sol de la mañana. Su compañera,

Victoria, se cernía sobre ellos, luciendo tan feroz como la cazadora Diana.

"Quince llamadas, Tom. ¿Por qué no contestas tu maldito teléfono? Me he estado volviendo loca aquí. Dios mío, ¿qué te pasó?"

"Cálmate, Vic. Estás asustando a las chicas".

"Oh, Dios mío", repitió. "Tu cara está herida... ¿qué... qué pasó?"

"He tenido un accidente automovilístico. Estoy bien, estoy bien. Alguien me chocó por detrás. Algunas costillas magulladas y laceraciones, pero me cosieron y me enviaron a casa. Habría llamado pero mi cabeza ha estado por todos lados".

Vestidos con sus uniformes escolares, las gemelos se veían aterrorizadas. Victoria intentó besarlo, pero él apartó la cara. Corrió a la cocina, agarró hielo del congelador, lo envolvió en un paño de cocina y lo colocó suavemente sobre su cara magullada.

5

Después de que se sintiera cómodo en el salón con el hielo y un vaso lleno de Glenmorangie, Vic consiguió que Angela y Sophia lo besaran y luego las acompañó rápidamente hasta los suegros de Tom, al lado, para su viaje de rutina a la escuela.

Ella regresó rápidamente. "Ahora, cuéntamelo todo. ¿Qué diablos pasó?"

Tom tomó un sorbo de whisky y comenzó su discurso ensayado. "Después de que hablé contigo por teléfono, ayer en la tarde, Bill, ya conoces a Bill, mi comandante de área de voluntarios de SES..."

"¡Sé quién es Bill!"

"Por favor, Vic, ten paciencia. Todavía estoy un poco confundido. Bueno, después de estar todo el día de voluntario, te llamé y luego, cuando comencé a empacar para venir a casa, Bill me invitó a cenar. Entonces, acepté su oferta. No sabía que me quedaría tan tarde. Eran poco más de las dos de la mañana cuando me di cuenta de la hora y luego me fui de inmediato".

"Me llamaste y me dijiste que te ibas a las seis y que te esperaba en casa a eso de las ocho. ¡No deberías haberte quedado, especialmente después de estar fuera todos estos días! "

“Bill era el capitán de mi papá en el cuerpo de bomberos. Lo conozco desde que tenía cinco años. No podía decir que no".

"No me importa. Me dijiste que ibas a volver a casa, ¡así que no deberías haberte quedado! O al menos deberías haberme llamado. Estaba preocupada. De todos modos, ¿por qué no puedes dejar de ofrecerte como voluntario?”

"Por el amor de Dios, Vic, ¿podemos hablar de esto en otro momento, por favor? Estoy sufriendo ahora. Te preguntas por qué me voy por varios días seguidos. ¿Alguna idea? Todo lo que hay aquí es el recuerdo de mi difunta esposa y tú tratas nuestra relación como un asunto de negocios. Necesito lavarme y otro whisky, no una reprimenda y una discusión".

Se quitó el hielo derretido de la cara, como esperando terminar la discusión. Luego lanzó una mirada furtiva a Victoria, siguiendo sus curvas debajo de su camisón y notando esos ojos que estaban tan atentos a sus estados de ánimo. La había traicionado de nuevo. Pero esta traición había terminado en muerte.

¿Por qué demonios lo perseguía Natasha? Siempre la había considerado demasiado fría para actuar como la ex amante vengativa. Los hombres caían a sus pies. Si ella se había enamorado de él, no estaba seguro de qué había hecho para ganarse ese amor. Era un adúltero y, aunque le pagaban bien, no era millonario. Siempre le sorprendía el amor y le molestaban las responsabilidades del mismo.

La cara de Victoria se había puesto blanca y estaba boquiabierta.

"Lo siento si me preocupo demasiado por ti".

“Mira Vic, este auto salió de la nada y me chocó por detrás. Fue un golpe salvaje y quedé noqueado. El otro conductor no tuvo ninguna posibilidad. Me sentí como si estuviera volando por un minuto allí. Supongo que fue por toda esta lluvia, la tormenta, aunque podía ver bien la carretera... "

"¿Qué quieres decir con que no tuvo ninguna posibilidad? ¿Murió?

"Sí, ella murió".

"¿Ella?"

"Sí, pero eso es todo lo que sé sobre la conductora. La policía se pondrá en contacto conmigo en los próximos días para una declaración adicional. El policía que me asistió me dio su tarjeta".

Rápidamente sacó la tarjeta que el alguacil superior le había dado para mostrársela.

"Está bien, eso es suficiente, Tom. Adelante, dame el hielo. Me alegro de que estés en casa y a salvo. Incluso si prefieres estar en otro lugar. El mundo es a veces un lugar tan peligroso. Me preocupo."

Ella se movió de nuevo para besarlo, pero se detuvo. En su lugar, fue a prepararle otra bolsa con hielo.

6

Se sentó un minuto y pensó en los años de voluntariado, las mentiras, las mujeres con las que se había acostado en diferentes ciudades del país.

Después de la muerte de su esposa, Helen, se había sentido solo con su sombra como única compañía. Finalmente, él y su socia de negocios, Victoria, se habían enamorado, pero para Tom, fue un amor basado en la comprensión mutua, la proximidad y las necesidades compartidas, y Tom siempre sospechó que Vic sentía más pena que lujuria por él. Sí, le había sido infiel de una manera que no se habría permitido a sí mismo cuando Helen estaba viva. Se odiaba a sí mismo por eso, pero reconocía que su afinidad por la moral del mundo había cambiado desde la muerte de Helen.

Antes le importaba, pero las cosas habían cambiado. De hecho, sintió que una parte de sí mismo había dejado de existir cuando Helen murió. Había dejadoejado una sombra detrás, una sombra llena de un deseo que nunca podría ser saciado y un deseo de venganza sobre el mundo que la había arrebatado, innecesariamente, de él.

Ahora Natasha también estaba muerta. Tom no se sintió maldecido, él era la maldición. Natasha era la primera mujer que había seducido, por la que en realidad había sentido algo más que lujuria. Los demás eran un bálsamo para su soledad, al menos lo admitía para sí mismo. Y había huido de Natasha con tanta crueldad y brusquedad como lo había hecho aunque, por primera vez, habría querido quedarse. No le había dado ninguna señal, temiendo que sus argumentos para quedarse hubieran sido convincentes.

Natasha estaba muerta. ¿Ahora qué? No podía echar a Victoria de la vida de sus hijas, no ahora que su dolor había comenzado a disminuir. Vic había cumplido perfectamente su papel de sustituta. No es que no la amara. Era solo que ella no era Helen. O Natasha.

Tom tomó un sorbo de whisky y razonó que se trataba de un dolor real en lugar del dolor emocional y el auto desprecio que normalmente sentía después de regresar a casa con el olor de otra mujer todavía en él. Se sentó en el muelle de frente a la salida del sol, observando la luz sobre el agua.

El alguacil mayor Collins vendría mañana y habría que responder a las preguntas. Un escalofrío lo recorrió y se dio cuenta de que aún no se había permitido llorar. Tom hizo una pausa y miró hacia afuera, y la brillante luz del sol bloqueó su vista matutina de la habitual danza de sincronicidad de los transbordadores del puerto.

Entonces se le ocurrió una idea. ¿Y si la policía hubiera rastreado la ubicación de Natasha hasta el motel de la carretera y hubiera descubierto que ambos autos habían estado estacionados allí durante la mayor parte de la noche? La habitación había sido registrada a nombre de Natasha, y Tom había tenido cuidado con sus entradas y salidas, lo cual era bastante fácil en un motel como ese donde la fugacidad era la fuente de su economía. Además, de uniforme, un voluntario se parecía mucho a otro. No habría imágenes de CCTV de él, y nunca se los había visto juntos en público. De hecho, sus reuniones se habían limitado a habitaciones de motel donde tenían todo el entretenimiento que querían o necesitaban el uno del otro.

Tom siguió a Vic desde el balcón a la oficina y luego al dormitorio para una pequeña siesta. Trató de controlar sus pensamientos, pero su mente seguía gritando “acusado”. Si la aventura no hubiera sucedido, Natasha todavía estaría viva. Parecía que tenía una opción: ¿un deseo mezquino o su pareja e hijos? ¿Lujuria o amor? La verdad es que no estaba preparado para tomar una decisión.

7

Tom se despertó sobresaltado unas horas más tarde e inmediatamente sintió el dolor palpitando a través de su cuerpo. Todavía era de mañana, pero sentía que había dormido el resto del día y toda la noche. Abandonó toda idea de su rutina de carrera en la Bahia Shark o de hacer ejercicio en el gimnasio del garaje.

Vic todavía estaba en la oficina trabajando pero la casa estaba en silencio, y recordó que las niñas estaban en la escuela. Contempló cómo sería su vida sin ellos y reconoció que por su estupidez podría haberlos perdido a todos: a Vic, la casa, y Dios no lo quiera, a las niñas. La cena de esa noche no iba a ser normal. Tom también sabía que los besos a la hora de dormir para las niñas serían duraderos y el tiempo de conversación con Vic incluso más.

Habían pasado varios años después de la muerte de Helen, desde que él y Vic se encontraron en la misma cama como por accidente. Victoria se había unido al negocio de Tom siete años antes y cuando Helen murió, ella era básicamente la única mujer que conocía. Ella siempre estaba ahí para ayudarlo con las chicas y después de unos meses, parecía absurdo que se fuera a casa, así que comenzó a pasar las noches en la habitación de invitados.

Entonces, una tarde, Tom encontró una nota de Vic en su escritorio. Se había ofrecido a renunciar, confesando que sus sentimientos por Tom nublaban su visión para los negocios y que se sentía más como una niñera que como una socia en una empresa. Perdido en una neblina de dolor desde la muerte de Helen, Tom había estado ciego al hecho de que Victoria había desarrollado sentimientos por él.

Tom había decidido poner fin a sus coqueteos estacionales, consciente de que estaba traicionando a Vic. Pero luego conoció a Natasha. La idea de contárselo a Vic estaba totalmente fuera de lugar. Natasha era solo una extraña que se había estrellado accidentalmente contra su auto en una noche de tormenta, nada más. Su vida había estado tan llena de dolor que dudaba que le importara más. Además, ahora era una celebridad menor en el mundo de los negocios debido a lo que había descubierto en ScamTell.

ScamTell había llamado a Tom de la nada un día hace casi siete años, pidiendo una reunión. No había oído hablar de la empresa antes, pero un poco de investigación reveló que era propiedad de dos jóvenes que habían construido todo su negocio en torno a la identificación de estafas y su inclusión en un sitio web sin publicidad. Todo lo que pidieron a cambio de este servicio mundial fue una pequeña donación de cualquiera que hubiera logrado evitar una estafa al consultar primero el sitio web ScamTell. La parte "Tell" (cuéntame) de su nombre era una broma de un interno: "contado por" los estafadores.

Un año después de su lanzamiento, ScamTell logró dividendos por un millón de dólares, simplemente a través de donaciones. Los artículos que Tom leyó sobre el ascenso de la compañía y los dos directores ejecutivos, Michael Ho y Daniel Jackson, mostraron que invirtieron su primer millón en el desarrollo de una aplicación y software anti-phishing que rastreaba los pagos salientes desde cualquier computadora. Canalizaba el pago a través de un sistema de controles de seguridad y luego aprobaba o denegaba el pago en función de un factor de riesgo porcentual.

Después de conocer a Ho y Jackson, Tom quedó aún más impresionado. Eran jóvenes brillantes, vestidos pulcramente al estilo de la Liga Ivy y sus empleados no eran copias al carbón de ellos mismos, sino que eran hombres y mujeres africanos, árabes, chinos e indios de diversas edades. Los premios de negocios llenaban los pasillos y en el vestíbulo se exhibían placas de organizaciones benéficas agradecidas.

Los hombres conversaron informalmente durante mucho tiempo y le revelaron a Tom sus planes para expandir el alcance de sus operaciones. Pensaron que tenían algo que ofrecer a las grandes empresas y al gobierno en términos de seguridad en Internet. Tom no podía seguir todo su lenguaje técnico, pero los jóvenes parecían seguros de que su próximo proyecto sería tan beneficioso para las organizaciones de todo el mundo, como lo había sido para su primera empresa.

"No podemos, por supuesto, decirte más que eso, Tom. Estoy seguro de que lo entiendes", ", dijo Ho.

"Sí, lo entiendo, pero no veo de qué les es serviría".

"Hicimos nuestra investigación al igual que estoy seguro de que tú hiciste la tuya. Sabemos que te e formaste en Duntroon y serviste en el ejército y que creaste tu propio negocio basándote no solo en el fraude financiero, sino también en el fraude moral".

"Sabemos que alertaste a East Bank de que una de sus inversiones estaba financiando indirectamente una empresa que explotaba a los productores de granos de café en PNG. Y un año después, descubriste una empresa de inversión que estaba canalizando fondos de una red de prostitución brasileña a un gigante minero en Kimberley", intervino Jackson.

"Nada de eso estuvo en la prensa". Tom los miró con recelo.

"No, profundizamos en lo que sucedió cuando ese banco se retiró de una inversión con nosotros. Verás, estábamos haciendo una investigación similar, pero no habíamos cavado tan profundo como tú. En consecuencia, hicimos reparaciones económicas a todos esos agricultores".

"Sí, tuve que ir a Port Moresby para averiguar adónde se estaban desviando misteriosamente los fondos. Y la cosa brasileña fue fácil de detectar pero nadie quiso hacerse cargo", dijo Tom.

"Vamos a cortar por lo sano. Estamos a punto de hacer una gran propuesta al gobierno australiano con respecto a nuestro nuevo producto. Creemos que revolucionará y hará transparente gran parte de la forma en que el gobierno, los bancos, las compañías de seguros, etc., usan su dinero. Nuestro dinero, eso es. Queremos mostrar la desembocadura del río, el río en sí y todos sus afluentes", dijo Jackson.

Ho y Jackson afirmaron que las credenciales de Tom eran de primer nivel y que se había dado a conocer en todo el país que había construido su negocio sobre la base de sus tratos éticos con los clientes y tenía la reputación de descubrir fraudes que estaban bien ocultos en las minucias de los contratos.

"Para que nuestra propuesta sea siquiera considerada, tenemos que asegurarnos de que estemos impecables, que no haya fondos que se vayan a lugares que no conocemos, que no haya sombras sobre nuestras cuentas o negocios, que no haya nada oculto. Y cada centavo debe ser rastreado y contabilizado. Sabemos que no tenemos muertos en nuestro armario, pero no es bueno para nosotros decirle a la gente que necesitamos un informe independiente y respetado, una auditoría moral, por así decirlo", dijo Jackson.

"Tom, queremos que nos investigues. Te e pagaremos una tarifa única de un millón por adelantado. Queremos que encuentres todas y cada una de nuestras fallas. Necesitamos que encuentres todas nuestras imperfecciones", dijo Ho.

8

Tom enfrentó el nuevo día con pavor, una leve resaca y un cuerpo muy magullado. Se sintió lo suficientemente curado como para dar un paseo en su bicicleta fija durante treinta minutos, golpear la bola de velocidad durante veinte minutos y luego entrar en calor saltando la cuerda. Trabajó a través del dolor, diciéndose a sí mismo que sus músculos necesitaban movilizarse para relajarse y que su cuerpo necesitaba aflojarse para que su mente pudiera hacerlo. Y de todos modos, se merecía el dolor.

Salió a buscar el periódico de la mañana y saludó a su vecino, Charlie, mientras se dirigía al trabajo en su nuevo Mercedes negro con la capota bajada. Tom miró hacia atrás a su casa. La piedra arenisca había sido elección de Helen, pero él había insistido en la veranda de jarrah y el techo a dos aguas, recuerdos de la casa de su infancia. Estaban en desacuerdo entre sí, pero a él no le importaba. Podía ver un patrón en ello y pensó que se parecía a su propia psiquis, ligeramente desparejo; ligeramente en guerra consigo mismo.

De vuelta en la cocina, preparó café recién filtrado y extendió el periódico sobre la mesa de la cocina. Allí, en la portada del Sydney Morning Herald, estaba Natasha mirándolo. La conmoción fue suficiente para hacer que se le cayera la taza de café y el golpe resonó en la cocina. CONDUCTOR MUERTO VINCULADO CON EL SUBMUNDO DE SYDNEY . "Natasha", se susurró a sí mismo. Luego, rápidamente volvió a enrollar el periódico, corrió a esconderlo en el escritorio de su oficina y se apresuró a regresar a la cocina para limpiar el café derramado y la taza rota antes de que Vic y las niñas entraran a la cocina.

Más tarde, escondido de forma segura en la privacidad de su oficina, recuperó el periódico escondido.

Tom leyó:

Se cree que una ciudadana chechena, que murió en un accidente automovilístico en la intersección de New South Head Road y Bellevue Road esta mañana temprano, tiene vínculos con la mafia chechena en Sydney. Natasha Mikula, de 32 años, murió en un choque frontal con un BMW negro con tracción en las cuatro ruedas durante las primeras horas del miércoles por la mañana. La señorita Mikula era hija de Vladimir Mikula, quien presuntamente tiene vínculos con el sindicato de la mafia chechena y actualmente está siendo investigado por detectives de homicidios por el asesinato de su exesposa en Sydney en junio de 2001. Aunque la policía había indicado que no sospechaba que las circunstancias del accidente que involucraban a la señorita Mikula fueran sospechosas, estaban investigando la causa del accidente y tenían la intención de entrevistar al conductor del segundo vehículo involucrado, un voluntario de SES que regresaba a la ciudad desde las Montañas Azules.

Tom nunca le había preguntado a Natasha qué estaba haciendo en las Montañas Azules. Ella había dicho que su madre estaba muerta y que viviría de su herencia hasta que pudiera regresar a Estados Unidos, donde vivía su media hermana. Eso, pensó, explicaba el hotel de clase baja. Pero por ahora, estaba feliz de mantenerse en esa clase. "La tumba es el lugar más bajo al que puedes ir", pensó Tom. La vida se había vuelto mucho más complicada.

"Tom, estoy preparando el desayuno para las chicas. ¿Cómo te sientes hoy?"

"Nada para mí, Vic. Estoy bien. Oye, ¿has visto mi Blackberry en alguna parte?"

"No. ¿Por qué? ¿No me digas que ya lo perdiste? Te lo acabo de regalar en Navidad".

"No, claro que no. Estoy seguro de que está aquí en alguna parte. Necesito ver lo que tengo en mi agenda hoy debido a la policía".

"Lo siento, ¿qué tal otro café mientras lo buscas?"

"Bien, gracias."

Sonó el timbre de la puerta, lo que hizo que su estómago se revolviera de miedo.

9

"Hola, Tom, y encantado de conocerla , Vic. Soy el alguacil mayor Peter Collins y ella es la alguacil Amanda Hawkins", dijo después de que Tom presentara a Vic.

"Encantado de conocerlos a los dos", respondió Vic, con una sonrisa.

"¿Cómo están esos moretones en los ojos, Tom?" preguntó Collins.

"Estoy feliz de estar vivo en este momento".

"Tiene una casa preciosa, Vic "oyó Tom que decía el agente Hawkins mientras caminaban por el pasillo.

"Entonces, ¿maneja su negocio desde casa? Por las apariencias, ¿debe tener mucho éxito?" Collins preguntó mientras miraba a su alrededor con asombro.

"Sí, este es nuestro séptimo año en el negocio y todavía estamos en aumento", dijo Tom.

"¿No fuiste tú el hombre que descubrió el fraude en esa empresa de Internet? ¿Cuál era su nombre? ¿Scam Tell? ¡Eso significó mucho dinero allí! "

"Sí, y ese descubrimiento fue la base de mi negocio".

"Dios, ahora sé por qué recuerdo tu rostro. Has trabajado para el departamento de policía local".

"Sí, y el gobierno estatal".

Antes de sentarse, Collins sacó una grabadora digital, la encendió y explicó el proceso de las responsabilidades de Tom al registrar su declaración. Tom notó que el dispositivo era básicamente antiguo. Se preguntó cómo la policía se mantenía al día con todos los delitos de alta tecnología en el mundo etéreo de la red: el fraude, el lavado de dinero y los chicos de dieciséis años que eran millonarios por las estafas cibernéticas. Parte de su trabajo consistía en investigar estos mundos y, aunque no era un experto en informática, sabía cómo seguir un rastro. También lo había hecho en Afganistán, pero allí se había enfrentado a armas, no a jugadores.

"OK gracias. Para que conste, esta entrevista es llevada cabo en 357 Vaucluse Road, Vaucluse, con Tom Stiles. Como sabes, Tom, nosotros, la agente Hawkins y yo, encabezamos la investigación del accidente del miércoles, durante la mañana del 1 de marzo de 2006, aproximadamente a las cuatro de la mañana", leyó Collins en voz alta en su diario de bolsillo de cuero negro después de haberlo sacado del bolsillo superior de su camisa.

"Te voy a pedir que te abstengas de responder hasta que haya leído todos los detalles. Ahora, el vehículo que conducía, Tom, era un BMW X5 de color negro con tracción en las cuatro ruedas, modelo del año actual con placas de matrícula STIL02. Se detuvo en el semáforo en la intersección de New South Head Road y Bellevue Road, cuando un MG Convertible verde oscuro modelo 1979 con placas de matrícula privadas de MG 1979 lo chocó por detrás. ¿Por qué te detuviste?"

"Semáforo en rojo, pero recuerdo que debí estar bastante cansado porque en realidad me asusté por un rayo, y recuerdo presionar el pedal de freno aún más fuerte mientras esperaba que el semáforo se pusiera en verde".

"¿Puedes recordar de dónde venias, Tom?"

"Sí, como le dije antes, soy un voluntario SES de

Montañas Azules y regresaba de un trabajo de fondo, en el área de Faulconbridge, al pie de estas montañas".

"¿Quién puede verificar esto?"

"Bill Baxter es el comandante del área de Montañas Azules SES. Podría llamarlo. Después de estar todo el día de voluntario, eran alrededor de las seis de la tarde cuando Bill me invitó a cenar. Entonces, acepté su oferta y me quedé. No sabía que me quedaría tan tarde. Pasamos toda la noche hablando de los viejos tiempos, sobre todo de mi papá".

Sabía que la policía llamaría a Bill, pero también sabía que Bill era de la vieja escuela y mentiría por él. Era el código con el que vivían todos los voluntarios: nadie sabe nada sobre el negocio de otro hombre, ni si se involucra un hombre con otra mujer, y lo que sucede en la ciudad se queda en la ciudad. Bill lo respaldaría. En todo caso, el único riesgo era que Bill mintiera demasiado. Solo necesitaba enviarle un mensaje de texto a Bill encriptado y luego destruirlo todo tan pronto como la policía se fuera.

"Verán, oficiales", dijo Vic, "el padre de Tom era bombero y Bill Baxter era su capitán en la brigada de bomberos de Nueva Gales del Sur, cuando Tom era un niño pequeño. Desde que Bill se retiró del cuerpo de bomberos, ha estado dirigiendo el SES en las Montañas Azules. Fue Bill quien animó a Tom a comenzar el voluntariado. Lo hace todos los años y cada año sigo esperando que sea el último ".

"¿Tu padre sigue siendo bombero?" Preguntó Collins.

"No, falleció cuando yo tenía siete años. De hecho, toda mi familia, mamá, papá y mi hermano, todos murieron, irónicamente en un incendio en la casa, en mi séptimo cumpleaños".

"Lamento oír eso", dijo Collins, mientras miraba hacia el agente Hawkins.

"Señor Stiles, ¿ha perdido recientemente algún equipo electrónico?" preguntó Hawkins, inexpresivo.

"Ah, no, no lo creo. ¿Porque lo pregunta?"

En ese momento, el agente Hawkins sacó la gran carpeta amarilla de pruebas, la abrió y recuperó el teléfono móvil Blackberry de Tom, cubierto con una sustancia blanca en polvo.

"¡Lo sabía!" Vic exclamó.

"Lo he estado buscando por todas partes... gracias, alguacil, pero ¿dónde lo encontró?" Se encogió cuando preguntó.

"Nuestra unidad de investigación de accidentes lo encontró en la carretera mientras remolcaban el vehículo del fallecido. Descubrimos que pudo haber sido arrojado fuera de su automóvil".

Tom se dio cuenta entonces de que lo había dejado en la mesita de noche del motel y Natasha simplemente lo había estado persiguiendo para devolvérselo.

10

Tom no aceptó la oferta de ScamTell de una tarifa por adelantado, diciendo que comprometería sus investigaciones. Les había dicho que se tomaría una semana para pensarlo, les dio la mano y abandonó el edificio. Las empresas no solían pedir una investigación propia ; la mayoría pedía información de otras empresas . Pero pudo ver las ventajas. Una buen sistema de salud, por así decirlo, con su calificación crediticia AAA y su reputación haría que su oferta fuera más atractiva.

Y eso era asunto de Tom. Había realizado algunos trabajos sobre fraude en Internet y, en ocasiones, ese trabajo había coincidido con investigaciones policiales, por lo que se le había pedido que consultara tal vez una o dos veces al año. También había trabajado para el gobierno estatal, racionalizando la política marco del departamento sobre cómo evaluaban los datos. Tenía buen ojo para el reconocimiento de patrones. Gran parte de su semana laboral la dedicó a estudiar y hacer un seguimiento de lo que sucedía con las inversiones realizadas por las grandes empresas para comprobar que el flujo de dinero se dirigía a donde debía ir.

No esperaba que los directores de ScamTell le revelaran

cuál era su nuevo producto, ya que necesitaban proteger su propiedad intelectual, pero le habían causado una buena impresión y todas sus investigaciones posteriores revelaron que eran empleadores caritativos con un alto nivel de desarrollo. Conciencia social. Tanto Ho como Jackson habían hecho campaña en su juventud contra la política de aborto forzado de China y ambos eran miembros de Amnistía Internacional.

Una semana después de su primera reunión, Tom había accedido a investigar ScamTell y se aseguró de que ambos hombres supieran que necesitaría una divulgación completa y un historial completo de sus inversiones, personales y privadas. En un día tenía todos los archivos de la empresa en su escritorio y él y su nueva socia comercial, Victoria Clements, revisaron cada columna y verificaron cada eliminación, cláusula de contrato y depósito o retiro. En la primera quincena de investigación, no encontraron ningún defecto, ningún indicio de sospecha.

Pero luego Tom descubrió que en su tercer año de actividad, el depósito de una tarifa administrativa surgía una y otra vez. Para entonces Victoria también había puesto sus ojos en los pagos mensuales realizados a una empresa que estaba registrada como fabricante de tapices, pero cuyas instalaciones no eran más que un apartamento de dos habitaciones en Parramatta.

"Entonces, ¿dónde están haciendo y almacenando esos tapices?" ella preguntó.

En retrospectiva, Tom debería haber prestado más atención a la intuición de Helen de que ScamTell era demasiado buena para ser verdad. Al principio de la investigación de Tom, ScamTell hizo una donación sin precedentes a los Servicios Estatales de Emergencia y Rescate, una donación que se mencionó en el parlamento. Pura coincidencia, había pensado Helen. Por otra parte, se había preguntado si Helen podría haber tenido un poco de celos porque estuvo encerrado con Victoria durante días y días y, después de todo, ScamTell tenía un historial de regalar mucho dinero a muchas personas y organizaciones diferentes.

Una noche, Tom recibió una llamada telefónica de Victoria.

"No sé qué vas a hacer con esto...", dijo.

11

TOM PROGRAMÓ UNA REUNIÓN CON HO Y JACKSON TRES días después en sus nuevas oficinas. No había estado en conversaciones con ellos en más de cuatro semanas y la información que Vic había descubierto los había llevado a creer que los jóvenes ejecutivos no eran lo que decían ser.

Mientras conducía hacia la ciudad, buscó las estaciones de radio hasta que encontró a Ella Fitzgerald cantando El Cuchillo. Sydney brillaba bajo la lluvia; una vista espectacular mientras cruzaba el Harbour Bridge y luego se metía en el carril izquierdo para el desvío. Miró hacia el Luna Park, donde las multitudes interminables hacían cola para los divertidos paseos. De alguna manera, las luces del parque de atracciones parecían mucho más brillantes de lo habitual. Ella Fitzgerald cantaba dulcemente acerca de los remolcadores y las bolsas de cemento y de que MacHeath estaba de regreso en la ciudad.

Salió de su automóvil, dejando la puerta abierta para el asistente del estacionamiento y llegó al piso treinta y tres y al vestíbulo de ScamTell en un abrir y cerrar de ojos. Aunque nunca había estado allí antes, estaba familiarizado con el nuevo diseño de edificios utilitarios, propiedad de una empresa y luego cedida a otra cuando la fortuna, buena o mala, golpeó.

Caminando lentamente hasta el escritorio de la asistente a la presidencia, Tom ignoró santurronamente la espectacular vista de la ventana sur del Luna Park y el puerto de Sydney, mostrando el puente maravillosamente, mientras mantuvo contacto visual con ella durante todo el camino.

"¿Buenos días, Sr. Stile...?" dijo la asistente. Medía poco más de metro y medio y estaba trabajando a "la secretaria en la oficina" por todo lo que tenía: escote, medias de seda, tacones altos y anteojos ligeramente torcidos con monturas de color rojo intenso.

Tom asintió y su mirada se desvió hacia la ventana. La vista del puerto parecía ajena a Tom desde este punto de vista. Desde donde estaba, también podía ver la aguja de una iglesia en la dirección de donde vivía, pero no podía ubicarla. Detrás de Tom, un pez luchador japonés daba vueltas en un gran acuario.

"Por favor, entre. Lo están esperando".

Tom entró. Ambos hombres se levantaron y le dieron la mano, pero Tom apenas pronunció un frío hola.

"Caballeros, vayamos al grano..."

Tom detalló rápidamente las irregularidades que él y Victoria habían descubierto, no solo los pagos al negocio de tapices que no parecían existir, sino las constantes tarifas de administración que la empresa cobraba a los donantes todos los meses. Tom no veía ninguna razón para esto y calculó que la empresa ganaba seiscientos mil dólares al año gracias a personas que no se daban cuenta de que pagaban una tarifa tan pequeña con regularidad. Luego les mostró un rastro de dinero que pasó por tres cuentas bancarias diferentes y fue devuelto al fondo que administraba la jubilación de su personal. Tom fue sacando una cifra tras otra que era inexacta, incorrecta o imaginaria.

"Tom, sabemos que hemos cometido algunos errores y

ciertamente parte de emplearte fue encontrarlos..." comenzó Ho.

Tom interrumpió, "Con respeto Sr. Ho, algunos de estos no son errores. Es duplicidad básica y robo. Han conservado los datos de las tarjetas de crédito de todos sus donantes y han hecho que las transacciones parezcan comisiones bancarias".

"Nadie ha presentado una queja", dijo Jackson.

"En realidad, más de mil personas se quejaron y se les devolvió el dinero, pero ustedes se aprovecharon de la gente con la suposición de que no notarían los pequeños débitos y, asombrado como estoy, ha funcionado. La empresa que profesa protegerse contra las estafas está estafando a sus propios clientes".

"Tom, ¿podemos ver el informe completo, por favor, antes de responder?" Dijo Ho.

"Por supuesto. Mi socia lo entregará mañana".

"Y, por supuesto, mantendrá esto confidencial por ahora. Revisaremos el informe y haremos las correcciones", dijo Ho.

"Ese es mi estatuto. Pero estoy obligado a informar de todos mis hallazgos a su debido tiempo a las autoridades correspondientes. Deben entender que esto no es negociable. ¿Algún problema con esto?"

"¿Podemos pedirle que espere un mes para eso? Tenemos nuestra licitación a punto de ser revisada y esperamos... " Dijo Jackson.

"Caballeros, si es la licitación del gobierno de la que están hablando, no, no puedo esperar. Tengo información que es de interés nacional que debo revelar. Me siento obligado a presentar esta información al tribunal que examinará su oferta. Mi pregunta final es, ¿por qué me pidieron que investigara su empresa y luego proporcionarme toda la documentación que me permitiría descubrir esta información incriminatoria? "

Ho y Jackson se miraron.

"Tom, te contratamos por una razón, pero no podemos

decirte todas esas razones en este momento", comenzó Jackson.

"Ya ya, cuidado", interrumpió Ho. "Tom, apreciamos tus esfuerzos y te agradecemos tu investigación. Créenos, te damos las gracias por ellos. Hay más aquí de lo que parece incluso ver tu ojo de águila... por favor vete ahora antes de que digamos algo de lo que todos podamos arrepentirnos... "

12

Después de que la policía se fue, Tom corrió al baño y vomitó. Podía escuchar pasos detrás de él, así que limpió el fregadero y se lavó la cara. Miró hacia el espejo del baño y vio a Vic en la puerta.

Escucha, Tom, ¿qué tal si los cuatro salimos a cenar a casa de Doyle? Necesitamos olvidarnos de todo esto. Nos vendría bien una salida nocturna".

"¿Con estos ojos enrojecidos?" Él sonrió.

"Te hacen parecer duro. Vamos, ¿qué te parece? Apenas te hemos visto este mes", dijo en voz baja.

"Está bien, ¿a dónde quieres ir?"

Al salir del baño, el teléfono de Tom sonó y rápidamente escaneó el texto entrante. Silenciosamente dijo, "gracias Bill, nunca sabrás cuánto te debo."

Esa noche, después de la escuela, recogieron a las niñas donde los padres de Helen y se dirigieron a Doyle en el auto de Vic mientras el auto de Tom estaba en el taller para reparaciones. Estaban sentados en una mesa con vistas a la Bahía Watsons . El agua brillaba y los cruceros, los transbordadores y los esquiadores de agua cruzaban en lo que parecía una danza acuática bellamente coreografiada. La gente saludó y los corchos de champán estallaron en la playa. Se deleitaron con cócteles de langostinos y sashimi de langosta y bebieron todo lo que el sommelier recomendaba con las comidas.

Una de las hermosas camareras quedó encantada con el collar de perlas en forma de corazón de Vic, el último regalo que le había hecho Tom. Felicitó a Vic dos veces y luego jugó con las chicas en el balcón cuando no estaba ocupada, les dio los asientos con la mejor vista y les cortó el pescado y las patatas fritas como una tía cariñosa. Eso dejó que Vic y Tom tuvieran casi toda la noche para ellos solos y ella le susurró al oído sobre la nueva tienda de lencería que había encontrado llamada Elegantemente Pequeño.

El pensamiento solo hizo que Tom pensara en Natasha. Quería imaginarse a Vic con ligas y guantes largos de encaje, pero la de ellos nunca había sido ese tipo de relación. Sin duda tenía su erotismo, pero carecía del matiz de peligro que deseaba Tom.

Tom tuvo una sensación de inquietud por el día que se acercaba mientras trataba de dormir esa noche. Siempre que surgía ese sentimiento, sabía que su sueño sería breve y turbulento.

Se despertó unas horas más tarde y contempló levantarse y hacer una carrera de cinco kilómetros, pero cuando se volvió y vio a Victoria durmiendo, se sintió reconfortado por la culpa y decidió acercarse a ella y cerrar los ojos. Luego pensó, "mafia chechena. Mierda".

13

Vic y los niños se habían ido a la playa a la mañana siguiente cuando Tom bostezó fuera de la cama. En todo caso, los hematomas parecían haber empeorado, haberse hundido más profundamente en su cuerpo.

Comprobó en su móvil los mensajes de la mañana; un hábito que odiaba en sí mismo, haciendo del maldito teléfono su prioridad antes que besar a sus hijos o incluso ir al baño. Normalmente habría mensajes de clientes extranjeros, nuevas consultas o simplemente sus amigos regañándolo sobre los últimos resultados de fútbol. Pero hoy, solo hubo un mensaje de un número desconocido.

El Voluntario conocerá a Vlad. Ven solo. El vestíbulo de Four Seasons. Hoy a las dos de la tarde.

Se le erizó el pelo de la nuca. Quizás era un número equivocado, pensó, como la vez que alguien llamado Justin le envió un mensaje de texto invitándolo a su apartamento a las 2:00 am. Encuentro sexual, pero, ¿quién lo llamaría voluntariado?

Tom sabía quienes eran los chechenos. Lo sabía en su sangre.

Buscó a un viejo amigo para averiguar más sobre ellos. El siguiente resumen llegó con el nombre de su amigo en blanco:

> ------------------------- *Instructor principal, Colegio Real Militar, Duntroon.*
> *Los chechenos son uno de los pueblos Vainakh. Sociedad organizada según líneas feudales. Chechenia fue devastada por las invasiones mongolas del siglo XIII y las de Tamerlán en el XIV. Vainakh tiene la distinción de ser uno de los pocos pueblos que resistió con éxito a los mongoles, pero esto tuvo un gran costo para ellos, ya que su estado fue completamente destruido. Estos eventos fueron clave en la configuración de la nacionalidad chechena y su sociedad de orientación marcial y basada en clanes.*

Rápidamente le escribió una nota a Vic explicándole que tenía una reunión de negocios y fue a vestirse. Luego, en un momento de pánico, llamó a Vic para asegurarse de que estaba bien. Pensó en traer a Collins y dejar que la policía lo supiera todo. No tenía nada que ver con la mafia. Pero sabía que involucrar a la policía significaba una revelación total. Esto significaría el fin de su relación.

Sopesó esto contra cualquier peligro en el que pudiera estar poniendo a su familia. Decidió que no podía controlar a Vic, pero podría controlar los factores externos. Y de todos modos, si Bill fue tan convincente con la policía como lo fue con Vic, entonces la historia de Tom se mantendría, y la muerte de Natasha sería simplemente otra fatalidad en la carretera de Sydney. No tenía sentido arriesgar su relación con Vic, al menos todavía no. ¿Y qué sería una mentira más para ella?

Pero reconoció para sí mismo que también sentía curiosidad. Podía cuidarse a sí mismo; no le tenía miedo a nada. Simplemente quería saber qué sabían y qué querían.

14

Tom pasó por el puente en el Audi de Vic. Tuvo tiempo de pensar. Michael Bublé cantaba Sintiéndose bien en la radio. Tenían su número; por otra parte, eso se había hecho fácilmente.

"Es poco probable que quieran reunirse conmigo para discutir las últimas palabras de Natasha", deliberó. ¿Vlad está motivado por el dinero, la familia, la venganza o el sexo? Pensó que serían dos de esos cuatro. No tenía idea de con quién se estaba reuniendo. Después de todo, un inmigrante con un poco de valentía, un buen traje y un acento podría llamarse mafia. Pero en tres minutos, sabría con quién estaba tratando.

Se detuvo en la zona de valet del estacionamiento del hotel Four Seasons y se dirigió rápidamente al vestíbulo. Vio a dos hombres sentados juntos en el salón vacío del vestíbulo, cada uno tomando café y leyendo un periódico en árabe. Un hombre era calvo, el otro tenía el pelo corto y anaranjado.

Respiró hondo, aminoró el paso y se dirigió hacia ellos, notando la salida más cercana, los seis civiles y cuatro miembros del personal en la retaguardia. Un guardia de seguridad, desarmado. Doce coches en el estacionamiento. "Esto va a suceder en público", pensó Tom, "quieren ser vistos conmigo". ¿La Defensa Alekhine, quizás? Pero Tom sabía que el contador se movía.

"Disculpen, señores, ¿estaban buscando un voluntario?"

"¡Ha! Vladimir, Voluntario. ¡Ven!" dijo el hombre calvo mientras se levantaba.

El hombre que estaba de espaldas a Tom se dio vuelta y le tendió la mano, que Tom estrechó. Luego señaló una silla, donde la espalda de Tom estaría expuesta a la ventana. Tom sacó una silla de la mesa cercana y se sentó en el lado opuesto. Vladimir sonrió.

"Entonces, ¿eres Voluntario? Siéntate, Voluntario. Siéntate. Soy Vladimir, este es mi, como se dice... socio, Emin. Pienso que tal vez te puedas sentir intimidado por un entorno lujoso. A los voluntarios no se les paga, ¿no? Pero no te pareces a esos hombres… no, ¿tal vez no seas voluntario? Tal vez engañas a Vlad, ¿no? ¡Eso creo con dos ojos morados! "

El acento era profundo, casi gutural, pero había un rastro de al menos dos años de vivir en Estados Unidos. ¿Quizás había estudiado allí o incluso había nacido allí?

"No, no engaño a nadie. Soy bombero voluntario, tiene razón. Pero mi nombre es Tom Stiles".

"Tom Stiles, sí lo sabemos. Hombre de negocios exitosos, dos hijos, adúltero. Pediremos café y, ¿cuál es el favorito de sus hijas, Sr. Stiles, loukoumades?

Vlad dobló y colocó cuidadosamente el periódico sobre la mesa de café, sin apartar los ojos de Tom. Estaba probando a Tom y definiendo las reglas de su compromiso. Tom sabía que era hora de ponerse serio, o al menos aparentar ponerse serio.

"¿Pasaste algún tiempo en el ejército, Sr. Stiles?"

"¿Pasó algún tiempo en Estados Unidos, Vlad?"

"Sí, estudié en Estados Unidos. Pero me fui a casa inmediatamente después de graduarme".

"¿Y cuál fue u título, Derecho de Familia?"

"No, Gestión de Recursos Humanos", dijo Vlad, aparentemente ignorando el insulto.

El vestíbulo estaba en silencio. Emin se volvió levemente hacia él, y con un breve y discreto destello del interior de su chaqueta, reveló una pistola plateada atada a su pecho. Tom no se sorprendió. Era el tipo de movimiento que podría intimidar a algún propietario de una tienda de delicatessen . No a él. Continuó actuando como si estuviera asistiendo a una fiesta de té. Metió la mano en el bolsillo y sacó con cuidado un bolígrafo con sus iniciales inscriptas y lo dejó delicadamente sobre la mesa como si fuera una granada de mano.

Vlad parecía desconcertado. Siguió mirando desde el bolígrafo a Tom y luego de nuevo al bolígrafo. "Si quisieran matarme, ya lo habrían intentado", pensó Tom. No estarían sentados aquí pidiendo café.

"Entonces, ¿qué quiere de mí, Vlad?" Preguntó Tom.

"¿Te follaste a mi Natasha, ahora mi Natasha está muerta, y me preguntas qué quiero de ti?"

Vlad todavía mantenía un ojo en el bolígrafo. "Probablemente ya podía oírlo hacer tictac", pensó Tom, reprimiendo una risita.

"Me he acostado con muchas mujeres. No quise faltarle el respeto a sus padres. Me gustan las mujeres hermosas. No sabía quién era hasta ahora. Su pérdida también es mi pérdida".

"Te ibas a casar con ella, ¿eh?"

"No. Como puede ser. Estaba casado. Mi primera esposa está muerta. Sin embargo, ahora tengo una socia".

La mueca de Vlad fue reemplazada por una sonrisa extraña, pero casi genuina.

"Todo estará bien, Voluntario. No entres en pánico, amigo mío. Veo por qué le gustabas a mi hija. Tú también me gustas. Quizás no tanto con dos ojos morados pero tú me recuerdas a mí mismo, quizás más pequeño, pero vistes bien. Quizás los colores negro y azul te sientan bien.

Mi Natasha, tenía buen gusto, como su padre, ¿sabes? Un amigo de Natasha será amigo mío. Entonces, somos amigos, ¿no? Mi Natasha, la extraño, ¿sabes? Pero soporté demasiado a su maldita madre. Mamá no me dejaba verla desde hace mucho tiempo. Luego, cuando la madre murió, mi Natasha, todavía seguía sin verme. Un favor, ¿de acuerdo? Los amigos hacen favores a los amigos, ¿no? Muy pronto, llamo".

¿Qué significaría esto? ¿Dinero? ¿Información? ¿Una introducción? Todo lo que Vlad tenía que negociar era su conocimiento del asunto de Tom. Vlad no tenía nada que ganar al revelar su aventura con Vic. Estaban jugando al blackjack, pero tampoco era el verdadero crupier. Si fuera solo una cuestión de chantaje, tal vez debería decírselo él mismo a Vic. Tom no dijo nada.

Luego los chechenos se pusieron de pie y se ajustaron las chaquetas y las corbatas. Tom también se puso de pie. "Llámeme si le conviene, Vlad. Tengo muchos amigos, no estaré solo".

"Bien, bien, muy bien, amigo. Te llamo pronto,"respondió Vlad en voz baja.

Vlad miró a su alrededor y él y Emin salieron rápidamente por el vestíbulo. Vlad era un aspirante a mafia de poca monta por el aspecto de su traje barato, pero Tom no sabía qué conexiones tenía Vlad, si es que tenía alguna. Lo mejor era jugar hasta que el checheno le dijera qué favor quería.

Tom aún no estaba listo para contarle todo a Vic. No hasta que su mano fuera forzada. Podía ir con su antiguo compañero en Duntroon en cualquier momento o con sus conexiones policiales. "No sirve de nada dramatizar nada por el momento", pensó, "necesito proteger la casa de mis hijas. Ahí es donde vive la memoria de Helen; esa casa y esas dos chicas."

15

Cuando Tom salió por las puertas de vidrio del hotel, recordó la última vez que había estado allí, solo cinco semanas antes para una reunión con clientes potenciales. Aquella vez, cuando se iba, se dio cuenta de que los guardias de seguridad, uno al lado del otro, conducían al primer ministro y a un grupo de hombres, tal vez dignatarios extranjeros, al hotel. Y su viejo compañero Hendo había estado allí con ellos.

"Paul Henderson. ¿Qué diablos estás haciendo aquí?" Tom gritó con sorpresa.

"Tom, es bueno, realmente bueno verte. Pero estoy trabajando. ¿No ves que estoy en el trabajo, amigo?"

"¡Bien hecho compañero! Qué bueno verte."

"Mira lo de Helen, amigo. Lamento no haber estado ahí para ti. ¿Cómo están las chicas?"

"Recibí tu tarjeta y flores. A ella siempre le gustó tu elección de flores. Las chicas están bien, gracias, amigo. Vic ha sido muy valiosa para todos nosotros".

"Victoria, ¿todavía está con ustedes? Genial."

"Ella es más que una socia comercial para mí desde Helen, amigo".

"Tom, no puedo hablar ahora. Estoy en el trabajo. Pero escucha, es realmente extraño que me haya encontrado así, porque estaba planeando llamarte. Tengo una propuesta para ti, amigo. Una oportunidad de servir a tu país. El propio PM querrá conocerte. Me pondré en contacto pronto". Paul sonrió y luego se fue, de regreso a su lugar con el resto del séquito, siguiendo a algún dignatario extranjero hacia la sala principal de actos.

Esa fue la primera vez que Tom vio a Paul Henderson desde antes de la muerte de Helen. En cada oportunidad que tenía, Hendo siempre se lamentaba con Helen de que él y Tom se hubieran entrevistado para el puesto de Director de Seguridad del Grupo en el banco para el que trabajaban, y Tom lo había adelantado en el trabajo, pero solo permaneció en el cargo durante seis meses. Antes de tomar doce meses para partir hacia el ejército. CuandoTom regresó, continuó en el puesto que había dejado en el banco antes de irse, solo unos años más tarde.

De todos modos, Hendo había aterrizado de pie en ese entonces. Se había convertido en el director de operaciones de Bailey's, una empresa de inversiones conocida por hacerse cargo y luego vender con fines de lucro empresas al borde de la bancarrota. Pero eso terminó cuando Hendo renunció y se convirtió en denunciante, afirmando que Bailey's estaba canalizando fondos hacia un grupo terrorista. Esto nunca se probó, pero Paul había sido una causa célebre durante algunas semanas.

Tom sospechaba que a raíz de esos eventos había sido perseguido por el gobierno. Debió haber sido una trayectoria ascendente empinada para Hendo después de eso, ya que parecía estar liderando el destacamento de seguridad en el hotel.

Tom decidió tomar la ruta larga a casa. Necesitaba pensar y decidió que necesitaba un lugar tranquilo, un santuario.

16

Tom se alejó de la ciudad, pero no en dirección a su casa. Repasó mentalmente el día mientras cruzaba King Street, pasando junto a los steampunks, los godos y los estudiantes universitarios que hacían cola frente a Pollos Clem's y las tiendas vietnamitas de rollitos de cerdo. Sintió que había algo en todo que aún no podía detectar . Un músico callejero cantaba Encrucijada de Robert Johnson en la acera a su izquierda y frente a él estaba sentado un hombre sosteniendo un cartel de cartón que pedía monedas sencillas.

Un accidente automovilístico, la muerte de su amante. Un mafioso checheno y el primer ministro querían algo de él y, en ambos casos, todavía no sabía qué era. Y la misteriosa declaración de Hendo sobre un llamado a servir a su país. Tom ciertamente cumpliría con su deber; era un patriota, era leal a la bandera y al país, aunque tenía que admitir inclinaciones republicanas.

Su padre había sido reservista del ejército. El deseo de Tom de servir a su país se incrustó en él desde una edad muy temprana después de ver a su padre en uniforme en las fotos familiares. Diez años como reservista y otro año en Duntroon, más dos tareas de despliegue en el extranjero, habían sellado la dualidad para él: solo la amenaza de guerra mantenía la paz. Solo la amenaza de la fuerza alentaba la negociación y la diplomacia.

Se dio cuenta, al cruzar a Marrickville, que ahora estaba en una posición que siempre había tratado de evitar desde el incendio que mató a toda su familia cuando era un niño: era rehén de eventos que aún no podía controlar o comprender.

Tom reflexionó sobre un ejercicio de entrenamiento en Duntroon, donde tenía la tarea de asaltar una pequeña aldea, armado con balas de goma e instinto. Algunos objetivos estaban vestidos de civiles, y Tom tenia que buscar una señal que los distinguiera mientras corría hacia el grupo de chozas y un mercado simulado. En sus dos primeros intentos fallidos, algunos habían muerto, baleados por los insurgentes. Entonces algo hizo clic. Vio que cada uno de los malvados llevaba una banda roja alrededor de su muñeca, de lo contrario, eran idénticos a los amistosos. En el tercer intento, identificó y mató a cada combatiente enemigo.

Volviendo al presente, sintió que lo estaban engañando y, hasta cierto punto, era obra suya. Había permitido que su brújula moral avanzara como la esfera de un reloj.

17

La puerta del café era arqueada. Una estera de arpillera en la entrada decía "fe". Tom entró. Tres taxistas levantaron la vista de sus platos. Otro hombre fumaba sentado en un rincón. El vapor se elevaba de la exhibición de arroz, berenjenas rellenas, papas al limón y parrillas de carne asada. Un hombre con delantal entró desde la cocina con una gran brocheta de carne ennegrecida. Miró a Tom y sonrió.

"No se permiten extraños aquí, señor, pero podemos darle algo para llevar si sabe quién es más grande, ¿Sócrates o Zagorakis?

"Esa es una pregunta demasiado simple", dijo el fumador.

Los otros tres hombres parecían esperar la respuesta de Tom.

"Vassilis Hatzipanagis," respondió Tom. "Él habría bailado alrededor de ambos. Esto lo sabes, Giorgos. Tendré mi favor habitual y me sentaré en mi mesa habitual".

Cada uno de los hombres sonrió y el hombre que sostenía la brocheta llamó a la cocina. Apareció una mujer.

"Tom, mi hijo, ¿dónde están las gemelas?" Abrazó a Tom y lo besó en ambas mejillas y en la frente e hizo la señal de la cruz sobre él.

"Hoy tengo algo que pensar , y como siempre, vine aquí".

"Entonces, ¿no has estado pensando desde hace meses? Eres un niño pródigo. Espera a que te sirva un café y luego Giorgos hablará con dureza contigo. Angelo y Sophia son como una familia para nosotros, así que ustedes son de la familia".

"Como digas , Christina."

Lo besó de nuevo y regresó a la cocina, gritando instrucciones en griego.

"Las chicas estarán contigo en un minuto".

Tom observó la reacción habitual en la taberna cuando se mencionaba a las chicas. Los taxistas se arreglaron la camisa y se ajustaron las corbatas. El fumador apagó el cigarrillo y se enderezó en su silla.

Luego aparecieron las chicas con bandejas de carne asada, ensalada griega y patatas fritas. Todas las niñas tenían el pelo negro azabache, los ojos verdes y vestían fustanellas azules. No sonrieron ni devolvieron miradas y fue solo después de que pasaron que los hombres se permitieron volverse para mirarlas. Dejaron la comida frente a Tom, pero no lo miraron a los ojos.

Las chicas eran hermosas, pero también eran silenciosas y castas. Apodadas las Doncellas de Marrickville, se las había prometido a los maridos griegos cuando alcanzaran la mayoría de edad y esa "edad" la decidiría Christina, tal como había sido ella quien había elegido a sus maridos. Lo que hizo que su belleza fuera aún más legendaria, y la taberna en sí misma un lugar cercano a la mitología, fue que las tres chicas eran ciegas.

Tom comió en silencio. La comida era un bálsamo para su alma, la comida del país de su difunta esposa. Tom tenía una tendencia filosófica que en su mayor parte trataba de reprimir, pero sintió que su mente se deshacía por los acontecimientos del día. Había justificado su repetida traición a Vic diciéndose a sí mismo que no le haría daño si no lo sabía. Nunca dudó de que la amaba. Pero ahora reconoció que era una traición emocional tener una nueva amante cada temporada de extinción de incendios. Cada vez, era infiel a ambas mujeres y, al final, a sí mismo.

Desde la muerte de su esposa, había estado buscando algo, cualquier cosa, para aliviar la soledad que sentía. No se sentía enamorado como Vic; siempre había en él algún lugar frío y duro, en forma de bala, imaginaba, que resistía la obligación y el deber de amar.

Reprendió su propia psicología pop y razonó que le gustaba el sexo, que le gustaban las mujeres y que parecía gustarles a ellas. Sexo y amor, paz y guerra, el gobierno y la mafia, Vic y los niños. ¿Qué había hecho?

18

AL LLEGAR A CASA, SE ENCONTRÓ CON QUE ANGELO Y Sophia habían llegado. Angelo estaba gritando a través de la puerta principal.

"¿Dónde está mi Enngonia? ¿Dónde están mis nietas? "

Los padres de Helen lo saludaron con besos e hicieron la señal de la cruz sobre él.

"Buenas tardes, Tom. ¡Oh, cuidado con sus magulladuras, mujer!" Angelo gritó en griego. Sophia le acercó a Tom una gran bandeja de moussaka, mientras Angelo buscaba su billetera y sacaba dos billetes de cincuenta dólares, que metió en el bolsillo de Tom.

"Para que lo ofrezcas a la dulce Virgen en la iglesia, Tom. Debes hacer esto por la salud de tus hijas".

"Sí, Angelo", dijo Tom, aunque sabía que el dinero era realmente para gastar en las gemelas. Angelo ya habría donado una cantidad igual a la iglesia.

Al escuchar la voz de su abuelo, las gemelas bajaron corriendo las escaleras y se acercaron a sus brazos abiertos, gritando: "¡Papou! ¡Yiayia! " Los siguientes minutos los ocuparon Angelo y Sophia bromeando de un lado a otro, tanto en griego como en un inglés entrecortado, sobre el viaje de compras planeado y lo caras que eran las tiendas.

Los suegros de Tom medían un poco menos de metro y medio de altura, eran bastante regordetes y, a pesar de sus canas, se comportaban como un par de niños.

"Chicas, ¿compramos en Nose Bay?" Angelo preguntó a las chicas con cara seria.

"¡No Papou, compramos en Rose Bay!" gritaron las chicas.

"¡Realmente eres un hombre estúpido!" Gritó Sophia. "Lo siento, Tom, me hace esto en todas partes. Vengan aquí chicas; ¡Aléjense de ese estúpido! ¡Vengan a Yiayia, chicas, vengan aquí! "

Vic lo había organizado todo y su tiempo fue excelente. Ella hizo salir a todos de la casa y entrar en su auto, instruyendo a Tom que condujera a Angelo y Sophia que los siguieran de cerca en su auto.

"¡Bell salió corriendo por la puerta principal! ¡Vuelve, Bell, vuelve! "gritaron las chicas.

"Bien", pensó Tom, "con suerte, será atropellada por un coche." Bell era la abreviatura de Tinker Bell, una chinchilla persa engreída que Tom lamentó haber traído a casa cuando era muy pequeña. En ese entonces, sí, ella había sido linda, tierna y muy adorable, pero a lo largo de los años las chicas y Vic la habían mimado hasta que se volvió malcriada, distante y, a menudo, se rascaba o hacia como un silbido cuando no se salía con la suya.

"Está bien, chicas, papá encontrará a Bell cuando regresemos. Sabes que a veces le gusta salir a jugar y correr. Está bien, nada malo le pasará a la querida Bell ", tranquilizó Vic.

Pasaron frente a boutiques de ropa, tiendas especializadas y restaurantes gourmet. Tom todavía se sentía incómodo en Double Bay desde la muerte de Helen, pero Vic lo adoraba. Le gustaba estar entre gente elegante. Como Helen, pensó Tom, quien como hija de padres inmigrantes se enorgullecía de exponer a sus hijas a una infancia más lujosa que la que ella había tenido, trabajando en la tienda de merengadas y helados con sus padres, estudiando leyes comerciales mientras la batidora zumbaba de fondo. .

Angelo y Sophia habían sido cariñosos y exitosos a su manera después de llegar a un nuevo país sin nada, pero el dinero siempre había sido escaso hasta que Helen tuvo veintitantos años. Vivían arriba de la tienda que tenían, y cosas como las vacaciones o los zapatos caros no formaban parte de la vida de Helen mientras creció .

Vic era una chica de escuela privada que había pasado toda su vida rodeada de coches de lujo y cuidados jardines llenos de orquídeas y rosas. Había pasado sus vacaciones en los campos de nieve y asistido a cenas en mansiones donde conoció a jóvenes elegibles, hijos de banqueros y abogados. Traicionarla por cualquier razón que él sintiera no era excusa, pero curiosamente, encontró su pasado libertino un tanto insultante para la memoria de su esposa.

Pensó en su primer encuentro con Helen. Acababa de salir de Duntroon y había vuelto a trabajar en el banco cuando la vio por primera vez. Ella trabajaba en el departamento legal del banco en el área de disputas y resoluciones y, aunque la había visto por el edificio, nunca se habían encontrado . Luego supervisó la auditoría trimestral del banco y resultó que Helen era su contacto principal para la revisión.

Una mañana, ella se inclinó sobre su escritorio para colocar un archivo frente a él, y su cabello le cayó sobre el hombro. Su cabello olía a manzanas. Se disculpó profesionalmente pero se sonrojó. Supuso que ella nunca había tenido la intención de acercarse tanto.

Hizo la auditoría de tres días en las últimas dos semanas, encontrando inconsistencias en todo lo que pudo y luego tuvo que investigar, detallando los reclamos de caja chica contra mil recibos y finalmente despejando todas las fuentes de financiamiento y gastos con atención fabricada al detalle.

Dos semanas le dieron tiempo para comprarle dos cafés,

uno de los cuales compartieron en un bar. El día en que se iba, quizás simplemente aliviada de que la auditoría hubiera terminado, Helen lo invitó a tomar una copa de celebración. Después de un cóctel y medio en la noche, estaban buscando un hotel en las calles de la ciudad y tres horas más tarde estaban comiendo sándwiches y bebiendo champán en una cama tamaño king con vista al Parque Centenario.

Mientras Tom negociaba con el tráfico típico de los sábados por la mañana, sin perder de vista a Angelo por el espejo retrovisor, miró a Vic. Las chicas estaban inusualmente calladas, así que volvió a mirar por el espejo retrovisor.

"Oye cariño. Mira, las chicas están dormidas".

"Está bien."

"¿Qué pasa con ustedes? Estarán bien una vez que comencemos a comprar y estén ocupadas, ya verán".

"¡Tom, estoy embarazada!"

19

Tom instintivamente pisó el freno. Los coches que iban detrás hicieron sonar sus bocinas. Angelo gritó a los coches que pitaron a Tom.

"Doce semanas, pero no quiero decirle nada a nadie hasta que hayamos tenido un poco de tiempo para acostumbrarnos a la idea, ¿de acuerdo?"

"Bien, está bien ... ¡estamos embarazados!"

"Tom, ¿quién es Natasha?"

"¿Qué? Sabes quién es Natasha, nos dijo la policía cuando vinieron a tomar mi declaración, cariño. Ella es la mujer que se estrelló contra mí".

"Sé que estás guardando secretos. Hablas en sueños".

"No te guardo ningún secreto, Victoria. Mira, si hablo mientras duermo, es por el accidente, ¿de acuerdo? Por favor…"

"No seas condescendiente conmigo, Tom. No soy estúpida."

"¿De qué estás hablando?"

"Has estado hablando en sueños desde que comenzamos a compartir la cama, y lo he tolerado por el bien de tus hijas. Y porque te amaba y todavía te amo. Me doy cuenta de que una parte de ti nunca me amará tanto como amaste a Helen. Te he oído decir sus nombres mientras duermes noche tras noche".

Tom sintió como si una pared dentro de él se hubiera derrumbado. Vic había sospechado que estaba teniendo aventuras durante años porque se lo había dicho sin saberlo. La culpa no fue lo primero que sintió, pero sabía que vendría. Su mente buscó excusas y coartadas, pero en cambio, recordó el viejo cliché, el culpable no se atreve a dormir.

La lista de nombres pasó por su mente —nombres que debió haber pronunciado mientras dormía— Rebecca, Samantha, Christine, Suzanne, Natasha. No se permitía pensar en Victoria y todas esas noches en las que ella debió haberse preguntado con quién estaba y todos esos nuevos negligentes experimentos sexuales que había practicado después de cada temporada de extinción de incendios. Ella había estado luchando por él contra mujeres que eran aún más atractivas, pero que no eran ella.

Se preguntó cómo se las había arreglado para mantenerse calmada y por qué. Seguramente, no la merecía a ella ni a la familia a la que había traicionado. ¿Cómo luchó contra lo que debió haber sido una repulsión por acostarse con él y dejarlo dentro de ella a la noche después de saber que había estado dentro de otra persona? ¿Por qué no dijo nada? ¿Estaba esperando a que él confesara? ¿Era suficientemente cuerda?

Llegaron al estacionamiento del centro de la ciudad. Vic volvió a maquillarse mientras Tom despertaba a las gemelas.

Angelo se detuvo junto a ellos y reprendió a Tom por conducir. "¡Necesitas aprender a parar, Tom!"

Vic le dio a Tom una débil sonrisa.

Tom odiaba los centros comerciales para empezar, pero ahora los niveles parecían capas de un nuevo infierno ardiente. Los compradores no parecían ni reales ni vivos y el aire tenía un sabor salado y apestaba a comida que se había cocinado horas atrás y ahora sudaba al baño María.

Todo lo que Tom podía ver era enfermedad y corrupción. Los cadáveres de cerdo que colgaban en la carnicería y las filas de partes de pollo (muslos, patas , pechugas, alas y cuellos) eran otros emblemas de la muerte. Peces colgando de ganchos. Fruta pudriéndose debajo de las brillantes pilas de exhibición y rodeada de pequeñas moscas. Incluso los maniquíes sin brazos con sus rostros en blanco y sus ropas brillantes sugerían un círculo del infierno para los vanidosos. Se le revolvió el estómago y estuvo a punto de vomitar.

Vic caminaba muy por delante de él con las chicas, aparentemente decidida a aliviar su dolor con una terapia de compras.

20

El viaje de regreso fue silencioso, ni un sonido en el auto excepto su respiración. Tom podía sentir la tensión en Vic y el silencio de las chicas significaba que podían sentir que algo andaba mal.

Tan pronto como Tom estacionó el auto, en un instante Vic salió del vehículo. Sacó a las chicas del asiento trasero y las hizo marchar arriba antes de que él estuviera en la puerta principal.

Tom comprendió. De repente, muchas cosas habían cambiado entre ellos y así era como Vic lidiaba con el estrés y las tensiones en su relación: dedicaría toda su energía a cuidar a las chicas, mantener la distancia con Tom y darles tiempo a ambos para procesar las cosas. Vic era una madre fantástica; ella era mucho más de lo que Tom podría haber esperado después de Helen.

Una noche, poco después de que él y Vic se juntaran, ella le habló sobre su miedo de hacer algo incorrecto con las gemelas. Ella le había dicho lo mucho que los amaba y cuánto esperaba desesperadamente que ella y Tom estuvieran involucrados a largo plazo porque no podía imaginar su vida sin él o las chicas. A medida que pasaban los años, había sido increíblemente paciente y nunca había presionado a Tom más de lo que podía comprometerse. Nunca había mencionado el deseo de tener sus propios hijos; ella solo le dedicó tiempo a él y a sus hijas. Ahora se daba cuenta de que la paciencia y la tolerancia de Vic habían sido mucho mayores de lo que jamás le había dado crédito: ella había sabido todos estos años sobre sus aventuras veraniegas.

Después de traer las últimas compras y cerrar el auto y el garaje, Tom escuchó el timbre de su teléfono móvil en la cocina. Al entrar a la casa, se sorprendió al encontrar a Vic hablando por su teléfono; ella nunca lo respondía . Su corazón empezó a acelerarse.

"¿Puedo preguntar a quién está llamando esta mujer?" Vic dijo, pasándole el teléfono.

"Hola, oh, sí, por supuesto... un momento." Se volvió hacia Vic y susurró: "Es la oficina del primer ministro. Te dije que esperaba esta llamada".

"Oh", dijo Vic, sorprendida.

"Sí, habla Tom Stiles".

"Por favor espere para el primer ministro de Australia, el Sr. John Harlington", dijo una voz femenina profesional.

"Tom, ¿no te he atrapado en un mal momento, espero?"

Tom apenas podía creer que la voz de todos esos fragmentos de sonido en los escalones del Parlamento ahora se dirigía a él.

“Hola, primer ministro. No, en absoluto, señor".

"Bien. Tom, necesitamos tus servicios. ¿Espero que puedas ayudarnos? "

“Sí, sí puedo. ¿Cómo puedo ayudar?"

“Voy a convocar una conferencia sobre fraude internacional que se llevará a cabo en la Casa del Parlamento y luego me trasladaré a Washington, para reunir a especialistas de EE. UU., Europa y la región de Asia y el Pacífico. Creemos que tu trabajo para exponer el fiasco de ScamTell te convertiría en un participante valioso. Me gustaría que estuvieras en la conferencia. La conferencia es realmente un grupo de trabajo. Esperamos formular algunas políticas de mejores prácticas a nivel mundial a partir de allí. Fuera de la sala de reuniones, necesitamos que todos los participantes la consideren solo una conferencia, ya que no queremos ninguna reacción exagerada del público."

"Tom, antes de que te decidas, puedo decirte que estará compuesta por veinticinco líderes prominentes y muy influyentes dentro del sector del fraude en Internet y la seguridad financiera. Es una cita profesional, por lo que se te pediré que asistas a todos los paneles, algunos en Canberra y en los EE. UU., principalmente. Me pondrás al día sobre todos los problemas de seguridad nacionales e internacionales relacionados con el fraude. ¿Lo entiendes? ¿Qué opinas, Tom?"

"Señor, no estoy seguro de estar calificado para este puesto".

"Bueno, déjame ser el juez de eso. Este podría ser mi último año en el cargo y me gustaría poner algunas cosas en su lugar antes de irme. Se avecina una tormenta de delitos y debemos estar preparados. Nuestro país necesita tus servicios, Tom, entonces, ¿qué dices?"

"Sí, señor. Sería un honor."

"Y un privilegio, Primer Ministro".

"Bien, bien. Enviaré un carro para que te recoja a las seis el lunes por la mañana y te veré en Canberra antes de que empiece tu reunión a las nueve en punto. ¿Okey?"

"¿Necesita algo de mí en este momento? ¿Y hay algo más que pueda decirme sobre qué esperar? "

"Paul Henderson te enviará más información sobre la conferencia y un expediente sobre los otros invitados. Por lo tanto, ponte a revisar a los invitados y los temas de la conferencia. Tenemos toda la información. ¡Y me refiero a toda !

"Oh, y Tom, dile a tu pareja y familia que mientras no estés, estarán bajo la protección de agentes del gobierno. No hay nada de qué alarmarse, solo un protocolo estándar para las familias de los funcionarios del gobierno que se dirigen al extranjero con asignaciones de seguridad. Nunca se sabe quién está planeando qué, pero no necesito decírtelo. Serás conocido en todo el mundo después del viaje, por lo que debemos asegurarnos de que... bueno, digamos que necesitamos tu mente libre y concentrada en el trabajo que tienes entre manos".

"Lo será, señor, gracias. Nos vemos el lunes, Primer Ministro".

No pudo evitar sonreír. Tenía una asignación prestigiosa y la comodidad de saber que su familia estaría siendo protegida.

"Vic, el primer ministro de Australia me ha pedido que esté en su grupo de trabajo contra el fraude... perdón, que asista a una conferencia sobre fraude, que comienza este lunes. ¿Puedes creerlo?"

"Eso es impresionante. ScamTell realmente hizo mucho por tu reputación. ¿No es otro puesto voluntario, espero? "

"No, y el primer ministro de Australia me llamó para invitarme personalmente".

"Lo sé, y estoy muy orgullosa de ti. Pero escucha, Tom, lamento decir lo que dije esta mañana. Nunca he tenido ninguna prueba, así que no te acusaré de nada. Pero desde el accidente, has estado murmurando "Natasha, Natasha" todas las noches. Te he oído decir otros nombres anteriormente, así que no me digas que se trata solo del accidente. ¿Qué está pasando? Dime la verdad y te creeré".

21

"¿Qué verdad, Vic, que digo nombres de mujeres mientras duermo? No lo sé. Tú eres la que me dice que lo hago. ¿Digo nombres de hombres, tu nombre? ¿De chicas?"

"Si lo haces."

"Entonces, ¿cuál es tu evaluación general? Me estás acusando de tener una aventura, varias aventuras. ¿Es eso lo que crees, Victoria? ¿Y se basa en algo más que unas palabras murmuradas, incoherentes y medio soñadas?

"Tom, los nombres de las otras mujeres, sí, me dije a mí misma que podrían ser una fantasía o simplemente alguien con quien trabajaste. Sé que tienes una vida secreta, un pasado secreto, y tal vez fueron ex novias, quien sea... "

"¿Qué pasado secreto? Mi familia murió cuando yo era joven. Fui a un internado, luego a la Universidad de Sydney, el banco, y luego a Duntroon antes de renunciar al banco para comenzar mi negocio. Mi esposa murió. Fin de la historia."

"Tom, dijiste: 'Te amo, Natasha'. Eso es nuevo. Nunca te había escuchado decir eso antes".

"Divagaciones conmocionadas, tal vez empatía, está muerta. Ella golpeó mi auto. Por supuesto, ella estaba en mi mente. La mente responde de manera extraña a la muerte, Vic, lo sabes. Conozco la muerte mejor que la mayoría".

"Necesitamos ser honestos. ¿Tuviste una aventura? Estamos embarazados, vamos a tener un bebé; nuestro primer bebé juntos y va a ser un niño".

"¿Dijiste un niño?"

Tom pensó en la vida que podría darle a su hijo y su vida con Vic. "¡No, Vic, nunca te he engañado!"

Las palabras no se le atascaron en la garganta. Su rostro no cambió. En todo caso, deseaba que su rostro se suavizara, entreabriera los párpados como si estuviera emitiendo una bendición en lugar de una mentira sobre su compañera. Imaginó que podía sentir la bala fría dentro de él empujando su corazón un poco más profundo.

"Tom, te amo y necesito que me cuides a mí y a los niños ahora más que nunca". Ella apoyó la cabeza en su pecho. "Tanto mejor para oír cómo se me rompe el corazón", pensó Tom.

"Estoy orgullosa de ti, Tom Stiles. Las chicas tienen un DVD de Angelina Ballerina y un nuevo juego de té. Tenemos al menos una hora", dijo, desabrochando los dos botones superiores de su blusa. Ella tomó su mano y lo condujo escaleras arriba.

Hicieron el amor en el cómodo erotismo del hombre y la mujer. No era necesario impresionar, burlarse, reprimirse o extenderse demasiado. Desde hacía mucho tiempo dominaban el cuerpo de uno y del otro. Eran los instrumentos de cada uno. Encontró los lóbulos de sus orejas y ella se colocó encima de él, manteniendo un pecho oculto debajo del sujetador de encaje y el otro pegado a su boca. Ella pidió lo que sabía que él quería que ella pidiera y él lo mismo, dándole la vuelta, pasando la lengua por su columna.

22

Después, Tom bajó las escaleras y sacó unos filetes de la nevera para descongelarlos. Las chicas estaban emocionadas, bailando como el ratón bailarín en su DVD. Se sirvió un Glenmorangie, añadió unos hielos de whisky del congelador y tomó un cigarrillo. Rara vez fumaba, pero en su oficina todavía guardaba una caja de Lucky Strikes, una reliquia de sus días en el ejército. Su sangre se había enfriado por el sexo y el whisky estaba caliente, haciéndolo sentir soñador. Dio una calada a su cigarrillo y su cuerpo se agitó con réplicas.

Siempre que Tom fumaba, siempre le recordaba a su hermano, Terry.

Habían crecido en Blaxland, donde los veranos estaban llenos de días abrasadores y un calor que persistía hasta bien entrada la noche. Para escapar del calor un día cuando su madre había ido a vender boletos de rifa para el SES, Tom y Terry tomaron el tren a la Estación Central. Tom estaba paralizado por el miedo, pero Terry se abrió paso entre la multitud como si la calle de la ciudad fuera solo otro sendero de arbustos.

Se sentaron en los escalones del ayuntamiento y vieron

pasar a la gente. Tom pensó que la gente parecía ocupada e importante, pero no podía entender qué hacían ni cómo podía ser más importante que combatir incendios. Caminaron por los grandes almacenes y Tom quiso comprar un perfume para su madre, aunque ninguno de los dos tenía suficiente dinero. Recordó haber pensado en lo hermosa que se vería su madre si pudiera tener los lápices labiales, los sombreros y las bufandas que usaban las vendedoras. Comieron hamburguesas cerca de una fuente donde un hombre de piedra estaba matando a un minotauro.

Después de comer, Terry hizo algo que Tom nunca le había visto hacer antes: encendió un cigarrillo.

Luego regresaron a casa. En realidad, solo habían estado fuera cuatro horas, pero parecía como si hubieran estado fuera durante semanas. Se habían ensuciado un poco en un camino de arbustos para poder decir que se habían pasado todo el día rastreando -, que era uno de sus juegos favoritos. Nadie sospecharía nada, aunque Tom esperó lo que le parecieron años para que se descubriera su secreto.

Una parte de él todavía estaba esperando el juicio de sus padres. En verdad, el apenas los conocía a ambos, solo los conoció por siete cortos años; y desde la perspectiva de un niño, pero sentía que el viaje de su vida se había emprendido debajo de los ojos de sus padres.

De alguna manera, sintió que sus éxitos y sus recientes fracasos adúlteros les eran conocidos de alguna manera inexplicable . Si fuera honesto consigo mismo, admitiría que había defraudado sus valores después de la muerte de Helen. Helen había sido un bálsamo para el tomador de riesgos que había en él. Ella era una de las razones por las que el negocio había ido viento en popa. Ella le había dado la seguridad que no había conocido antes, le había dado algo por lo que vivir.

En su segundo período corto de servicio en Afganistán, había sido uno de los cuatro hombres que se ofrecieron como voluntarios para perseguir a un agente doble llamado Ajad

Ajad que se había desconectado de la red en la reserva natural de Bande Pitaw. Tom era el único de ellos con algún vínculo familiar. Todos eran huérfanos, pero Tom llevaba cinco meses en su compromiso con Helen.

Al final del tercer día de su búsqueda, Tom se adelantó para hacer un poco de vigilancia para el día siguiente, cuando encontró una colilla . Tom recordó en la sesión informativa de seguridad que Ajad fumaba bedies, pero también lo hacía mucha gente de la región. Siguió un rastro tenue pero fresco de huellas de sandalias durante aproximadamente un kilómetro hasta que llegó a un claro donde ardía un fuego y había tres hamacas colgadas entre los árboles. "Tres contra uno", pensó. Razonó que debería permanecer agachado y regresar al campamento e informar a los demás. Pero hizo lo contrario.

Esperó a que descendiera la noche y a que los tres hombres regresaran a la fogata. Trajeron consigo un jabalí al que habían disparado y que habían cortado la pierna y colgado el cadáver desollado en un árbol envuelto en hojas de palmera puntiagudas. Tom esperó. El cadáver seguramente atraería a un gran felino, lo que sería una diversión perfecta.

Cuando llegó el grupo de búsqueda, encontraron un leopardo muerto, tres hombres muertos columpiándose en hamacas y Tom mordiendo un hueso. A sus pies había tres rifles Kalashnikov. Dos días después, debido al ultimátum de Helen de que eran los militares o ella, estaba en un avión de regreso a casa.

Vic bajó las escaleras con un vestido verde esmeralda. Contrariamente a las instrucciones que le había dado anteriormente, de repente no podía esperar para decirles a todos que estaba embarazada y, después de dar la noticia a las niñas, que estaban impresionadas de saber que iban a tener un hermano, procedió a llamar a la mayor cantidad de amigos y familiares que pudo. Tom podía escuchar las voces emocionadas en el otro extremo del teléfono y esperaba que la familia viniera a su casa para una gran fiesta al día siguiente.

Sacó un segundo cigarrillo, y fue al jardín delantero con su whisky. La llamada del primer ministro había animado a Tom y quizás desviado las sospechas de Vic. Por el momento, al menos. Tom razonó para sí mismo que una mentira más para salvar su relación valía la pena. Él le había dicho lo que ella quería escuchar y, después de todo, la armonía valía más que la búsqueda de la verdad en esta etapa, para ambos.

Bueno, eso es lo que se dijo a sí mismo, pero sabía que necesitaba hacer algunos cambios serios. Para empezar, necesitaba detener todas las malditas trampas, eso es lo que tenía que hacer. Y tuvo que dejar de ser voluntario. Destrozar a su familia no era honrar la memoria de su esposa.

El único problema ahora era el "favor" que Vlad querría de él. Tendría que encontrar una manera de lidiar con eso, por el bien de su familia, por su futuro. Habiendo agravado las traiciones con mentiras, ahora sentía más que nunca que tenía que mantenerlo todo oculto. Sí, se sintió honrado por la llamada del primer ministro, pero cualquier error en su imagen limpia podría hacer que fuera descalificado del grupo de trabajo y probablemente incluso arruinar su negocio, dado que se basaba en la ética.

Tom se estaba volviendo para regresar al interior cuando por el rabillo del ojo vio a Bell tirada en el césped cerca del buzón. Asumiendo que ella estaba acechando a algún pobre ratón o lagarto y queriendo darle a la pobre criatura la oportunidad de escapar, se acercó a ella. Pero, curiosamente, ella no se movió ni reconoció su presencia en absoluto.

Cuando Tom se acercó, descubrió por qué. Bell estaba muerta. Le habían disparado en cada ojo.

23

La alarma de las cinco en punto de Tom hizo sonar su cabeza. Su combinación de uno-dos, de izquierda a derecha, intensificó los síntomas de su resaca de la celebración familiar de la noche anterior.

Los padres de Helen se habían aferrado a Vic como reemplazo deella, al igual que Tom. La tratarban como si hubiera crecido en su casa y hubiera compartido las mismas costumbres. Primero, la fiesta con vino, luego el baile, algún rompimiento obligatorio de platos, luego ouzo y recordar los buenos tiempos en Grecia y los problemas actuales.

La única vez que Angelo se enojó fue cuando habló del gobierno griego. Era un comunista silencioso que había sacado lo que podía de la libre empresa y, como la mayoría de los hombres, vivía con su propia hipocresía justificándola como la necesidad de cuidar de su familia.

Los moretones en la cara de Tom comenzaban a desvanecerse de modo que parecía que había pasado una ronda en lugar de tres con Mike Tyson. Pero sus ojos todavía estaban de un rojo revelador. No era el rostro ideal para presentarse en un foro en el que Tom sabía que, a los pocos momentos de reunirse con estos hombres y mujeres, se formarían las primeras impresiones que impactarían en sus relaciones con ellos en el futuro. Los líderes de los países, sin importar de qué lado de la política estaban, a menudo eran lectores de mentes, expertos en interpretar el lenguaje corporal y, sobre todo, buenos detectives.

Se afeitó y se vistió con su mejor traje Armani negro, zapatos de cuero y una camisa de lino azul oscuro de Bell & Craven. Buscó instintivamente su reloj y recordó el accidente. Como siempre, su brazalete negro lo pellizcó debajo de la ropa.

El auto blanco del gobierno se detuvo en el camino de entrada y escuchó un timbre de notificación de texto en su móvil. Besó a Vic, preguntándose qué habría revelado en su sueño anoche. Varios de los vecinos estaban caminando y regando sus jardines y no ocultaron su curiosidad mientras lo vieron subir al auto del gobierno.

"Hola, Sr. Stiles. Henry Lawson es mi nombre y seré su conductor aquí y en Canberra".

"Hola, Henry. Encantado de conocerte."

"También yo, señor, y gracias por no hacer la broma habitual".

"Lo siento Henry, ¿qué broma?"

"Henry Lawson. ¿Sabe, el escritor? La gente siempre tiende a decir algo. Algo que no es ni ingenioso ni preciso. Es tan malo como si me hubieran llamado Don Bradman".

"Oh ya veo. Perdóname, Henry, hoy estoy un poco torpe. Mis suegros vinieron a una fiesta anoche, son griegos... "

"Ah, dicho lo suficiente. Los irlandeses nunca se emborrachan y los griegos nunca se llenan".

"Oh, ellos también pueden beber, Henry, pueden beber".

"Entendido."

Tom pensó en el hombre que estaba a punto de conocer: John Harlington PM. Tom había dudado en formarse una opinión personal sobre él basándose en las decisiones que había tomado como primer ministro. Su retroceso en las políticas adoptadas en elecciones anteriores y sus opiniones sobre la lucha contra el terrorismo no habían sido populares entre el público australiano y habían dejado un sabor amargo en la boca de la mayoría de la gente.

Sin embargo, Tom era lo suficientemente realista como para saber qué se trataba de cuestiones complejas y que estar en esa posición podía afectar las decisiones y juicios que una persona pudiera tomar. Después de todo, no puedes hacer que todos estén contentos todo el tiempo. Entonces, Tom tenía la mente abierta sobre la oportunidad que se le había ofrecido, y si el primer ministro de su país estaba pidiendo lo mejor, eso era lo que daría.

"Aquí estamos, Tom. Avión de la Fuerza Área Real Australiana Contrincante 604, el más pequeño de los dos aviones del primer ministro. El otro es un Boeing 737".

"Bueno, gracias por el viaje, Henry, y por cierto, ¿cuánto tiempo estuviste en la Guerra del Golfo?"

"¿Cómo lo supo ?"

"Tu tatuaje, tres sables cruzando un tanque es revelador, amigo".

"Segunda División. Parte de la primera ola de la Operación Tormenta del Desierto. Sí, directo a la tormenta de fuego. Obtuve esto en mi primera licencia. Pretendía ser de buena suerte".

"Fue una campaña de bombardeo sencilla con una enorme operación de limpieza...", dijo Tom.

“Sí, pero esos incendios petroleros parecieron durar más de una vida. Hasta pronto, Sr. Stiles".

“Adiós, Henry. Pero llámame Tom".

“Gracias, señor, pero me temo que no se me permite hacerlo, la jerarquía es estricta con el protocolo. Pero bueno, ¿cuál fue el motivo de la fiesta anoche?

"Oh, llamémoslo una fiesta de cumpleaños anticipada".

Sosteniendo su teléfono Blackberry, Tom se dirigió a lo largo de la alfombra roja hacia el pequeño avión que estaba cerca. El RAAF Challenger 604 parecía un Learjet corporativo. Vio a los pilotos en la cabina, y el oficial de la RAAF al pie de las escaleras móviles se mantuvo firme mientras Tom se aproximaba . Tom se acercó para estrecharle la mano, pero el oficial lo saludó con elegancia y rápidamente lo acompañó escaleras arriba. En poco tiempo, Tom estaba sentado con los cinturones abrochados, cuando los motores del avión cobraron vida con un rugido.

"Buenos días, Sr. Stiles. Soy el capitán Edwin Taylor con el copiloto Tim Shaw y el piloto oficial Ken Tucker", se escuchó una voz por los altavoces y luego procedió a transmitir los detalles del vuelo.

24

Eran las siete y cuarto cuando se detuvieron en los escalones de la Casa del Parlamento, donde Paul Henderson esperaba.

"¡Hendo! Todo esto es obra tuya, ¿no es así, amigo?

"Bueno, si él no te quisiera, no estarías aquí, así que no puedo tomar todo el crédito".

"Entonces, ¿tú eres el asesor del primer ministro?"

"En algunas áreas, sí".

"¿Cómo diablos conseguiste esta movida?"

"Mira, eso lo dejamos para otro momento, por ahora tenemos que pasar por seguridad y entrar en la sala de conferencias. Hemos organizado un desayuno con el PM para los veinticinco invitados antes del comienzo oficial del nombramiento de los miembros de la junta. Vamos, solo sígueme".

Tom se preguntó qué hizo que Paul para que el primer ministro pensara que estaba calificado para un papel en el grupo de trabajo. Hendo era ambicioso, y Tom siempre había sospechado que, después de que Tom le ganara el trabajo en el banco, Hendo se había mostrado algo incrédulo y resentido, quizás incluso celoso. Pero aquí estaba llevando a Tom, a quien había recomendado, a una reunión con el primer ministro.

Paul presentó a Tom al Jefe de Seguridad Federal, un hombre llamado Con, quien le entregó un pase de seguridad.

"Me pondré al día contigo más tarde, después de que termine la reunión de la junta. ¿Está bien, amigo?" dijo Paul.

"Oh, está bien, Hendo, pero para aliviar mis nervios, ¿puedes hacerme un último favor? ¿Me pueden sentar al lado del presidente? De esa manera puedo mantenerme fuera de peligro y no parecer demasiado estúpido".

Los ojos de Paul se agrandaron. "¿No leíste el archivo adjunto que te enviamos, Tom?"

"¿Cuándo?"

"Anoche, alrededor de las once".

"¿Qué? No, es que teníamos invitados".

"¡Jesús, Tom! ¡Adivina! ¡Eres el presidente! Ya has sido designado. ¿Por qué crees que nos tomamos tantas molestias para traerte aquí? Los demás tuvieron que venir por su cuenta".

El móvil de Paul sonó.

"Mierda, tengo que irme. Felicitaciones, nos vemos más tarde".

25

Tom fue llevado rápidamente por Con y conducido por un pasillo enorme. Al final había dos grandes puertas con cerraduras con código de seguridad. Con ingresó un código de doce dígitos y las puertas se abrieron revelando una mesa de juntas moderna de madera oscura con veinticinco sillas colocadas alrededor. Una mesa auxiliar más pequeña contaba con un arreglo de fruta fresca, croissants, té y café, jugos y agua embotellada.

"Por favor, sírvase usted mismo, señor", dijo Con, escoltándolo hacia la mesa auxiliar.

Tom se sirvió un poco de café, pero antes de que pudiera beberlo, los veinticuatro miembros restantes de la junta llegaron y abarrotaron la mesa del desayuno. Algunas presentaciones tentativas fueron interrumpidas por un anuncio repentino: "Damas y caballeros, el Primer Ministro de Australia, el Sr. John Harlington".

El primer ministro entró en la habitación y les dio la bienvenida a todos formalmente. Luego describió el propósito del grupo de trabajo especial y cuán importante sería antes de la reunión de ministros de finanzas y gobernadores de bancos centrales del G20, que se celebraría a finales de año en

Melbourne. Los temas que se discutirían serían que la sociedad civil y las instituciones públicas podían trabajar juntas para combatir la delincuencia en Internet y cómo los países podían trabajar asociados en la lucha contra la delincuencia organizada en Internet. Tom no se inmutó; esta era su área de especialización.

"Todos ustedes han sido cuidadosamente seleccionados para formar parte de mi grupo de trabajo especial, porque son expertos en su campo y asesorarán a mi oficina sobre las recomendaciones adecuadas y justas que reflejen el clima actual de seguridad financiera global. Sus esfuerzos serán tenidos en la más alta estima y tengo muchas ganas de ver los resultados de estas reuniones."

"Ahora, aparte de la conferencia de prensa celebrada aquí después de la reunión de hoy, no estaré presente para influir en sus decisiones de ninguna manera. Así que, por favor, sírvanse un poco de desayuno, socialicen y conózcanse. Estaré aquí hasta las nueve, pero luego los dejaré con sus propios dispositivos."

"Quiero agradecerles mucho a todos por asumir este compromiso. Tienen mi más profundo agradecimiento personal. Tengo plena confianza en que sus recomendaciones serán de gran valor para el país. Sin más preámbulos, me gustaría presentarles a todos al Sr. Tom Stiles, su presidente".

26

TOM NO ERA UN HOMBRE TÍMIDO Y HABÍA PRESIDIDO innumerables reuniones antes, aunque en un nivel inferior. Sin embargo, pudo sentir sus mejillas enrojecerse. Los miembros de la junta se miraron unos a otros y murmuraron. Todo el grupo parecía como niños en edad escolar muy emocionados y Tom se preguntó si necesitaría jugar al maestro de escuela.

El primer ministro apareció a su lado y le estrechó la mano. "Los moretones parecen estar curando bien", observó.

Mientras Harlington hablaba, Tom se sorprendió al saber cuánto sabía sobre su vida: los gemelos, Vic, la muerte de Helen, sus logros laborales y cuánto tiempo había estado operando su negocio.

"Disculpe, Tom, debo despedirme. Una vez más, gracias por su compromiso y le deseo lo mejor en su función de presidente. Estoy seguro de que es el hombre adecuado para apagar cualquier pequeño incendio que se produzca durante la reunión".

Harlington y su séquito de seguridad abandonaron la sala, y los miembros del grupo de trabajo se apresuraron a buscar asientos alrededor de la amplia mesa de la sala de juntas. Es como si la música se hubiera detenido en un juego de sillas musicales, pensó Tom mientras ocupaba la silla vacía en la cabecera de la mesa. Sintiendo que se estaba sumergiendo en una piscina de profundidad desconocida, respiró hondo y esperó lo mejor.

27

El primer ministro irrumpió por las puertas de la reunión a las tres de la tarde, seguido de cerca por una multitud de medios. Como el anfitrión perfecto, Harlington presentó a todos y cada uno de los miembros de la conferencia de fraude a los reporteros y les informó de la tarea que tenían por delante.

Los reporteros simultáneamente lanzaron preguntas sobre cómo Tom había obtenido el papel de presidente, cuáles eran sus estrategias y qué resultados anticipaba . Las respuestas parecían salir de la boca de Tom automáticamente, pero su cabeza comenzó a dar vueltas. Cristo, ¿cuándo terminaría?

Cuando finalmente escoltaron a la frenética manada fuera de la habitación, Tom tomó su diario de cortesía forrado en cuero y se dirigió hacia la puerta.

Con apareció de la nada. "El señor Harlington ha solicitado una reunión privada con usted , Tom. Le mostraré su oficina".

Después de seguir a Con a lo largo de numerosos pasillos, Tom se encontró en la oficina del primer ministro. Había un magnífico retrato de la reina centrado en la habitación y una serie de fotografías familiares en el gran escritorio de roble.

Tom se sorprendió de que no hubiera equipo informático en la habitación.

El primer ministro salió por una puerta lateral, flanqueado por tres hombres.

"Tom, gracias por venir. Esto no tomará mucho tiempo. Me gustaría presentarle al Ministro Federal de Defensa, Peter Constance, al Director General de la Organización de Investigación de Seguridad de Australia, Jeremy Sutton, y ya conocen a Paul, Jefe de Operaciones Encubiertas de la División".

"Buen día Tom", dijo Paul mientras le estrechaba la mano.

"Tom", reconoció Jeremy junto con un firme apretón de manos y un asentimiento.

Peter Constance, el ministro de Defensa, se acercó a Tom y le ofreció la mano. "Tom, encantado de conocerte. Estoy muy impresionado con lo que has hecho con tu pequeña empresa durante los últimos siete años. Aunque supongo que las pequeñas empresas son ahora un eufemismo". Él sonrió.

El primer ministro les indicó a todos que se sentaran mientras él se ubicaba en la silla de cuero verde oscuro detrás de su escritorio. Entonces Constance se volvió hacia Tom. "Veo que estuvo en las Reservas de la Real Fuerza Aérea Australiana por poco más de diez años. ¿Un experto en explosivos y un especialista en información de inteligencia?"

Tom pensó que era una pregunta retórica pero asintió de todos modos.

"Luego, un año las veinticuatro horas del día en Duntroon. Y durante este período, superó un curso de tácticas del regimiento del ejército SAS en Campbell Barracks, Perth. Lo que quiero saber es cómo el Director de Seguridad del Grupo de un banco acaba convirtiéndose en un especialista en información de inteligencia y explosivos un fin de semana al mes durante diez años. ¿Y cómo se las arregló para tomarse un año libre para asistir a Duntroon? "

Bien, ¿a dónde iba esto? Parecían interesados en áreas de

su vida que no tenían nada que ver con la identificación del fraude. Tom estaba perplejo y se sintió curioso si preguntarían si conocía a una mujer llamada Natasha Mikula.

"Bueno, originalmente ingresé a las Reservas RAAF para ofrecer mi tiempo como voluntario, un fin de semana al mes, realmente como bombero. Me colocaron en explosivos y contrainteligencia simplemente porque era competente en esas áreas durante mi entrenamiento. El banco me apoyó mucho en mi participación en las reservas desde el principio. Cuando solicité un año libre para Duntroon, por razones de seguridad nacional, me concedieron el permiso. La única razón por la que renuncié a mi cargo fue que me iba a casar. Entonces, empecé a formar una familia y comencé mi propio negocio".

"Sí, lo sabemos, Tom", intervino Constance.

"Estoy bastante impresionado con s historial y será un honor trabajar con usted", dijo Sutton.

Pero Constance volvió a guardar el expediente en su maletín negro con una expresión peculiar en su rostro anguloso. Tom se preguntó si lo sabían todo y no lo decían, o los últimos días lo habían puesto nervioso.

28

"AHORA, PONGÁMONOS MANOS A LA OBRA", DIJO EL PRIMER ministro, inclinándose hacia adelante en su silla. "Paul tiene programado reunirse con los directores del FBI y la CIA a principios de la próxima semana en Washington, para discutir algunos desarrollos recientes con respecto a la 'guerra contra el terrorismo'. Tom, me gustaría que acompañaras a Paul para tener la oportunidad de iniciar conversaciones con tu homólogo estadounidense, el profesor John Hull, quien dará el discurso de apertura de la conferencia. Lo he organizado para que asistas a la reunión trimestral del comité que se llevará a cabo en la Casa Blanca y estará presidida por el subsecretario de Estado de los EE. UU., ¿De acuerdo?"

"Ah, disculpe, señor, pero ¿no necesitaría enviar al director general por algo de esta magnitud?" Tom preguntó con una mirada a Sutton.

"Sí, lo he hecho, Tom. Pero en este caso, preferiría un enfoque más informal y discreto y, con el debido respeto a ASIO, no detectaron el fraude en ScamTell. Tiene más experiencia en detectar anomalías menos obvias. Alguien de su experiencia, en lugar de un alto funcionario de ASIO, puede ayudar a derribar muros y espero que se exponga más y que la interacción sea productiva."

"Eso es fundamental para nosotros en este momento; debemos estar seguros de que nuestros amigos en los EE. UU., nos den pistas sobre posibles desastres económicos, ya que no queremos estar en la parte posterior del grupo. Paul volará el próximo lunes por la mañana y lo quiero con él. No se preocupes por los detalles, estoy seguro de que Paul lo pondrá al día. ¿No es así, Paul?"

"¿Qué pasará con el grupo de trabajo mientras estoy fuera?" Preguntó Tom.

"Oh, no se e preocupe por el grupo de trabajo. Les informaremos a los miembros que su papel como presidente tiene ciertas responsabilidades adicionales y que este breve viaje es una de ellas".

29

Los ojos de Tom estaban inyectados en sangre por las luces y las cámaras de televisión en la conferencia de prensa y le dolió la cabeza después de la reunión con el primer ministro. Henry lo recibió al bajar del avión en Sydney y antes de que se diera cuenta Henry estaba metiendo el auto en la entrada de su casa.

No estaba ansioso por contarle a Vic sobre su próximo viaje, pero decidió que debía hacerlo más temprano que tarde.

"¿Estados Unidos? Tom, ¿planeabas siquiera discutirlo conmigo? ¿O simplemente me lo estás diciendo? "Vic gritó.

"Vic, espera. Puedo explicarlo." Se sentía como un adolescente que había roto el toque de queda.

"No me llames 'Vic' ahora , Tom. ¿Cómo les vas a explicar a tus hijas que te vas de nuevo? ¿Para qué te necesitan en EE. UU., de todos modos? "

Tom no pudo responder la última pregunta de Vic. No tenía idea de por qué Harlington necesitaría información sobre terreno blando de Washington. No, había algo más importante en juego, no solo con los chechenos sino también con el gobierno.

Tom no dudaba de que tenía la experiencia y el conocimiento de las leyes internacionales de fraude para encabezar el grupo de trabajo. Junto con los otros miembros, desarrollaría recomendaciones que informarían a un comité más grande, el gobierno australiano. No era diferente de las reuniones del consejo y los grupos asesores con respecto a la estructura. Pero el viaje a Estados Unidos era diferente. Sonaba como un reconocimiento, como si le estuvieran probando algo más grande.

De repente, el móvil de Tom empezó a sonar y le dijo medio en broma a Vic: "Necesito responder a esto, ¡podría ser el primer ministro!"

Tom se calmó y respondió.

"Felicitaciones, voluntario", dijo la voz.

30

Antes de que pudiera partir hacia Estados Unidos, Tom tuvo que lidiar con los chechenos y estar seguro de que su familia estaba a salvo. Por teléfono, había accedido a una reunión más con Vlad, esta vez en el Museo Australiano.

Le habían disparado a Bell como una amenaza; confiaba en sus instintos, por lo que necesitaba planificar su estrategia antes de verlos. Como diría su CO en Duntroon: "Un idiota con un plan será más listo que un genio sin uno".

Tom fue a su gimnasio en el garaje y abrió una caja de pesas grande. Levantó las mancuernas de 20 kilogramos y dejó al descubierto una tapa de acero inoxidable con un ojo de cerradura. Desenroscó una mancuerna, tomó una pequeña llave del hueco de la barra y luego la insertó dentro de la cubierta de acero inoxidable y la giró a la izquierda, luego a la derecha y luego a la izquierda. La caja abierta reveló una variedad de pistolas, explosivos, radios, uniformes militares y equipos de visión nocturna. Su corazón comenzó a latir rápidamente.

Al llegar mucho antes que los chechenos, Tom revisó rápidamente el diseño del edificio y memorizó los diagramas de salidas de emergencia en la escalera. Luego regresó a su auto donde se sentó hasta que vio llegar a los chechenos. “Siempre hay que dejar que el crupier piense que está ganando”, pensó.

Los chechenos se sentaron a la vista de la entrada en el café del museo, directamente debajo de un esqueleto de un T-Rex.

Tom esperó unos minutos, luego respiró hondo y se acercó al café.

"Vladimir, llega el voluntario", dijo Emin y se enderezó.

“Ah, amigo mío, señor Gran Tiro ahora, ¿eh? Ven, siéntate, habla conmigo, amigo mío”, dijo Vlad.

Debajo de sus chaquetas baratas se veían los distintos bultos de armas mal ocultas.

"Señor. Gran Tiro de televisión. Estoy en el negocio de ganar dinero, no como tú con tus amigos del gobierno y tus comités que se sientan y hablan todo el día. Si un cerdo es gordo, vale dinero. Si una chica es hermosa, vale dinero. Un arma puede matar, esto también vale dinero. Las cosas útiles hacen dinero, los comités hacen que las cosas útiles pierdan dinero. ¿Por qué una chica debería ser hermosa y no hacerme dinero? ¿Amor? Por supuesto, amaba a mi hija, pero ella era una chica hermosa, es lo que dices… una chica Premium. Ahora pido un precio superior. Ahora ve a Washington. Necesito que recojas un artículo de mi primo y me lo traigas. ¿Harás esto por mí, sí? ¿Mi gran amigo?”

"¿Cuál es el artículo?"

“Recoges algo, eso es todo. ¡No más!"

"¿Qué es el algo, Vlad?"

“Algo que me hace ganar dinero. Eso paga por mi hija. Si haces esto, habrás pagado un precio superior por mi hija". Los ojos de Vladimir destellaron fuego, pero terminó su café con calma.

"¿Qué tan grande es el paquete y dónde puedo encontrar a tu primo?"

“El paquete es pequeño, amigo mío, pequeño. No te preocupes por esto. Mi primo segundo te encontrará. Nika Goesoff te encontrará, amigo. No te preocupes."

"¿Cuán pequeño?"

"Pequeño . Igual que tener dos manos juntas"dijo Vlad con impaciencia y apretó las palmas como si estuviera rezando.

"¿Cómo me encontrará tu primo segundo?"

"Un hombre endeudado no debería hacer tantas preguntas. Guarda las preguntas para tus comités. Él llamará. Él llamará."

"Está bien, y si hago esto, ¿me dejarás en paz? ¿No más favores?"

"¡Por supuesto! ¡Sí, por supuesto! ¡Heriste mis sentimientos, amigo! Somos amigos, ¿no?"

"Te dije que no necesitaba amigos, Vlad. ¿Y si no lo hago? "

Vlad se encogió de hombros. "Es triste, pero no importa. Todos debemos tomar nuestras decisiones y vivir con las consecuencias. Este es el problema del libre albedrío. Tú decides, no Dios. Pero, ¿por qué un hombre en ascenso, un hombre de familia, un hombre de negocios querría arruinar su carrera? "

Emin y Vlad se levantaron y se alejaron. No miraron hacia atrás a Tom, quien apuntó con el dedo índice a la parte posterior de sus cabezas, uno tras otro, diciendo: "clic, clic".

31

Conduciendo a casa, escuchando a Wagner a bajo volumen y quedando atrapado en el tráfico habitual de George Street, sintió que Vlad sabía algo más sobre él, pero no pudo averiguar qué. Una aventura era tan mala como cinco. Victoria no lo perdonaría por una, y mucho menos por todas las demás, así que, ¿qué importaba que Vlad hubiera fisgoneado un poco y hubiese encontrado un rastro de adulterios? Vlad era de poca monta de todos modos; probablemente el dueño de un burdel que importaba chicas europeas con pasaportes falsos o un hombre que se quedó atrás y que podía superar a los débiles y a los que se intimidaban fácilmente.

Los tratos comerciales de Tom fueron todos justos y honestos. Incluso el gobierno vio que su mantra de ética y ganancias no era una farsa. Entonces, ¿qué más? No teníamuertos en el armario familiar; de hecho, el armario estaba quemado y vacío. Condujo por el túnel hacia su casa. En última instancia, si tuvo que renunciar al grupo de trabajo, ¿y qué?

"Siempre quiero el pastel y comerlo", pensó Tom. Se sintió honrado de que se le pidiera unirse al grupo de trabajo. Fue un paso en su carrera que podría llevarlo a cualquier parte. Pero se estaba arriesgando al aceptar entregar un paquete a un delincuente menor para salvar su relación. Estaba siendo honrado y extorsionado al mismo tiempo. Y tenía otro hijo en camino.

La verdad era que lo quería todo, el trabajo y la relación, y la única forma en que podía tener ambas cosas era arriesgar las dos. Tom estacionó su auto en el garaje y guardó su equipo sin usar en la caja de pesas. Encontró a Vic en la cocina cocinando estofado , la besó y pasó su reunión como otra consulta ordinaria con un cliente potencial.

Cuando fue a llamar a Paul, encontró un sobre azul sin remitente en su escritorio. Tom abrió el sobre y sacó algunas fotografías: una de Vic sentada en un café al aire libre, la siguiente de un hombre corriendo hacia Vic en el café, y un tercera foto de una anciana con la cabeza entre las manos parada donde una vez había estado el café. Entre sillas rotas y cristales rotos. Parecía que había habido una explosión. Nunca antes había visto esa café ni a la anciana, pero estudió la segunda fotografía con más atención. El hombre de la fotografía estaba borroso, pero algo en él le resultó familiar.

32

TOM LE MOSTRÓ LAS FOTOS A VIC.

"¿Quién tomó estas fotos, Tom?"

"No tengo idea de quién las tomó ni por qué. O por qué me las han enviado ahora. ¿Recuerdas cuando fue esto? ¿Te acuerdas del hombre?"

"Fue hace aproximadamente un mes; no hacía mucho que te habías ido a las Montañas Azules. Había un volante en el periódico del café y se veía encantador. Todo fue en Chatswood, pero decidí parar un día allí, hacer algunas compras. Ese hombre, vino corriendo hacia mí; en realidad estaba un poco borroso. Dijo que algo estaba a punto de comenzar en el café. Pensé que se refería a que uno de los clientes estaba causando problemas. Entonces, me fui sin terminar mi café con leche, él fue muy insistente. Ahora veo por qué. Ni siquiera me enteré después, ni lo pensé dos veces".

Tom no tenía respuestas al misterio de las fotos. ¿Por qué el hombre le había salvado la vida a Vic en el café? ¿O había sido Vic el objetivo de la explosión? ¿Podría haber sido simplemente mala suerte?, se preguntó.

Regresó a su oficina y trató de distraerse con whisky y notas informativas para el viaje que tenía por delante. No funcionó, así que jugó con sus hijas a una fiesta de té y trató de explicarles adónde iba y por qué. Sophia y Angela estaban más interesadas en darle de comer pasteles y galletas imaginarios y en servirle su invento del "caramelo para adultos", una mezcla de té y café.

Tom acostó a las niñas y les besó la frente. Vic se unió a él en el dormitorio un poco más tarde, sosteniendo una copa de vino y luciendo muy tensa.

"Tom, algo está pasando, ¿no? Acabo de investigar un poco y parece que hubo un accidente en el café aproximadamente una hora después de que me fui. ¿Quién es ese hombre? ¿Y por qué me advirtió que me fuera?"

Tom negó con la cabeza y se frotó la mandíbula. Pasaban demasiadas cosas. No tenía explicaciones. ¿Alguien ahí fuera, alguien familiar, había salvado la vida de Vic al animarla a dejar el café antes de un accidente? ¿Cómo pudo ese hombre aparentemente familiar saber acerca de un evento aleatorio? Un gánster estaba tratando de extorsionarlo y el gobierno lo estaba usando para algo; sabía que había más en su asignación de lo que había dicho el primer ministro, simplemente no sabía qué. Quería que hubiera una conexión porque de lo contrario tenía demasiadas cosas en su cerebro. Quería una solución elegante.

33

HENRY LLEGÓ A LAS CINCO Y CINCO, CAMINÓ HACIA EL resplandor rojo de las luces traseras del coche y cargó el bolso de Tom en el maletero. Tom miró hacia la ventana donde estaba Vic. Él saludó con la mano pero ella no le devolvió el saludo. Ella tenía muchas cosas en la cabeza, ambos las tenían.

Las calles de la ciudad estaban comenzando a llenarse, pero Henry aceleró entre semáforos en rojo y señales de alto como si tuviera memorizada la cuadrícula del tráfico en movimiento. Tom sintió una sensación de asombro y calma al ver conducir a Henry. Los autos simplemente parecían desaparecer a su alrededor, y Tom sintió que su juventud podría haber sido malgastada en carreras de autos. Sin duda, ahora le estaba resultando útil.

"¿V8 o fórmula uno, Henry?" preguntó.

“Ambos, y jeeps a través de minas terrestres, ambulancias militares también. Simplemente predice el peligro y calcula el riesgo frente a la habilidad".

"Recordaré esto, Henry, riesgo versus habilidad..."

“Challenger 604 otra vez, Tom. Lo veré en DC ", dijo Henry, aparcando junto al avión.

Tom fue el primero en abordar el avión, pero un momento después de estar sentado, el capitán Taylor y el copiloto Shaw subieron al avión y se detuvieron en la entrada principal en silencio, en plena atención. Mientras saludaban simultáneamente, Paul entró casualmente en el avión, flanqueado por el oficial piloto Tucker.

"Es bueno verte a bordo, amigo", comentó Paul mientras Tucker colocaba su equipaje en un compartimento superior.

Los dos pilotos se quedaron tranquilos, luego marcharon, en secuencia, hacia la cabina, cerrando la puerta detrás de ellos. Tucker luego procedió a cerrar la escotilla y servir café, primero a Paul y luego a Tom, mientras los motores vibraban dentro de la cabina. Tom se durmió en una hora; ni siquiera el café pudo mantenerlo despierto .

Se despertó cuando aterrizaron en Washington. Tom y Paul desembarcaron en una sección separada del Aeropuerto Internacional Washington Dulles. Una avalancha de saludos los recibió en el aire frío de la noche, y fueron conducidos a una limusina negra que se observaba a la distancia, bajo focos y una línea de antorchas nocturnas rojas de mano que guiaban el camino desde el avión.

El auto arrancó a una velocidad tremenda y Paul se rió a carcajadas. "No me molestaría en abrocharme el cinturón de seguridad, Tom. ¡A esta velocidad, estaremos allí en unos minutos! "

"¿Dónde está Henry? ¿Y a dónde vamos a esta velocidad?"

"A la casa y sí, estamos en uno de los vehículos de la caravana presidencial y esto es lo suyo".

Paul había mencionado anteriormente que tomaría alrededor de treinta minutos conducir desde el aeropuerto hasta la Casa Blanca; lo hicieron en seis.

"Tom, quédate en el coche, amigo,"le ordenó Paul.

"¿Por qué, me veo tan mal?"

Él se rió entre dientes, "No, el conductor te llevará al

Hotel Willard. Está cerca de la Casa Blanca en la Avenida-Pennsylvania . Entonces puedes descansar hasta la mañana, ¿de acuerdo?"

"Pero ahora es de mañana, Paul."

"Mira, vuelve a entrar, ve al hotel y deshace las maletas. Te llamaré a las seis menos cuarto. ¿Okey?"

34

ANTES DE QUE TOM PUDIERA PRESENTARSE, EL CONSERJE dijo: "Sr. Stiles, se va a hospedar en el quinto piso, en la habitación 504. Por favor, diríjase a su suite, señor, y yo me aseguraré de que su equipaje esté bien cuidado. Y no dude en avisarme si desea algún refrigerio".

"Registro hecho", pensó Tom. La habitación 504 tenía una vista directa de la Casa Blanca. La suite constaba de dos dormitorios, cada uno con baño, una enorme cocina de mármol y un salón con suelos de madera oscura y una mezcla de muebles de madera y cuero.

Eran las dos y veinte. El sueño estaba fuera de discusión. Abrió la nevera de la barra y encontró un litro de Glenmorangie. Comenzó a preguntarse si había alguna parte de su vida que no hubiera sido examinada. Tom se sentó y tomó un trago y luego otro. Su vida había sido procesada, examinada, informada e investigada por Dios sabe cuántas personas y por Dios sabe cuántas razones. Miró alrededor de la habitación y se preguntó dónde estaban escondidas las cámaras.

Después de calcular rápidamente el tiempo de Sydney, llamó a Vic y le contó sobre la vista y la habitación, cómo deseaba que ella y las niñas estuvieran allí con él para que las gemelas pudieran tener una cama doble en Washington y servicio de habitaciones. Entonces se dio cuenta de que su conversación sin duda estaba siendo monitoreada y cambió de tema. Vic preguntó si estaba solo.

35

El timbre sonó exactamentea las seis menos cuarto.

"Buenos días, señor. Agente especial Harrison. ¿Puedo llevar su maletín? dijo un hombre afroamericano de un metro ochenta de altura, vestido con un traje negro que estaba cableado para ver y oír, de la cabeza a los pies.

"No, gracias, ¿y dónde está Henry?" Preguntó Tom.

"Servicio Secreto, señor", respondió Harrison. "Debo acompañarlo a la Sala Roosevelt, señor".

Tom lo siguió hasta el ascensor donde Harrison insertó su pase de ascensor en una ranura y marcó un código. El ascensor bajó durante mucho tiempo sin detenerse en ningún piso y la luz indicadora permaneció en el piso donde habían recogido a Tom. "Estamos bajo tierra", pensó Tom, "al menos seis niveles debajo del aparcamiento."

Las puertas del ascensor se abrieron, salieron a un pasillo y se pararon sobre una alfombra adornada con un águila que sostenía en su garra derecha una rama de olivo y en su siniestra un haz de trece flechas. En su pico había un pergamino blanco con la inscripción E PLURIBUS UNUM sable. Harrison indicó el camino a lo largo del amplio y bien iluminado pasillo. Tiras de color azul brillante bordeaban la alfombra donde se unían con las paredes de color crema claro y enmarcaban los cuadros de la Casa Blanca, del pasado y del presente. Tom notó que una pintura databa de 1792.

Llegaron a otro juego de puertas de ascensor. Una vez más, Harrison usó su tarjeta de acceso. Ninguno de los dos había hablado desde que salieron de su habitación; el entorno histórico parecía imponer silencio. Giraron a la derecha, siguiendo una flecha que los dirigía hacia el ala oeste. Mientras que los cuadros que recubrían las paredes del corredor subterráneo eran bastante modestos y tranquilos, los que recubrían las paredes de este corredor eran mucho más majestuosos con marcos de latón sólido y brillante.

Al final del pasillo, Harrison se detuvo en lo que parecían ser puertas de vidrio de doble resistencia con marcos de paneles de madera y cortésmente le indicó que entrara en la habitación.

"Esta es la Sala de Reuniones Roosevelt, señor", anunció. "Lo dejaré aquí, señor."

"Gracias, Harrison".

Paul lo estaba esperando y otros delegados se estaban sirviendo café. La sala de reuniones contaba con una gran mesa de tablero de madera con capacidad para dieciséis. Dieciséis asientos adicionales se alineaban en las paredes de dos lados de la sala. Tom se sirvió café mientras Paul le informaba.

“Estará sentado junto al profesor John Hull. Se rumorea que será el próximo jefe de la CIA. El nombramiento se anunciará el próximo mes”, susurró detrás de su mano.

"Es bueno b saber."

"Oh, sí, no olvides llevar tu invitación para la Cena de Estado de la Casa Blanca cuando vayas. Es el día antes de que salgamos de Washington. Está junto a la etiqueta de tu nombre en la mesa". Con eso, Paul desapareció entre la multitud, escoltado por personal de seguridad.

Tom recuperó su maletín y se dirigió en silencio hacia la

mesa de la junta, notando las etiquetas con los nombres que se mostraban frente a cada silla, cada una con el sello presidencial grabado. Tom sintió un fuerte empujón en la cadera. Desequilibrado, se dio vuelta para encontrar a un hombre con un traje azul a rayas que se inclinaba para recuperar un pastel que se había caído de su plato. Estirándose para estabilizarse, su mano hizo contacto con la espalda encorvada del hombre. Tom sintió que algo sólido se movía debajo del traje del hombre y su mente volvió a Duntroon.

36

Así como una persona puede verse afectada durante toda su vida por el olor a betún para zapatos, una pipa o cierto perfume, Tom conocía los explosivos. Conocía la sensación de ellos, el olor de ellos, incluso el sabor de ellos.

Inmediatamente, Tom se puso en alerta total, tomando inconscientemente el diseño de la habitación, observando a cada persona y dónde estaban ubicadas.

En ese momento, una docena de personas entraron a la habitación y un hombre tomó el centro del escenario, pidiendo a todos que se pusieran de pie. "Damas y caballeros, el subsecretario de Estado de los Estados Unidos, Sr. Robert Booth".

La multitud se puso de pie para recibir al subsecretario Booth. El se paró en la cabecera de la mesa y les dio la bienvenida a todos en el ala oeste de la Casa Blanca, deseándoles una reunión productiva e informándoles que comenzarían en diez minutos.

"Están en el salón pescado", dijo el subsecretario, "pero les dejare que averigüen la historia detrás del nombre".

Tom midió el peligro inminente cuando Booth comenzó a

dar vueltas por la habitación. Supuso que el hombre que llevaba los explosivos esperaría su turno para estrechar la mano del subsecretario y evitaría llamar la atención de forma prematura. Tom razonó que, dada la libertad de movimientos del hombre, su bomba no estaba diseñada para causar el máximo daño. Lo más probable es que fuera un objetivo uno a uno. El asesino era un mártir, sin duda, pero parecía que tenía un hueso que elegir con Estados Unidos y no con los demás delegados internacionales.

Tom se movió a través de la habitación, atrayendo intencionalmente la atención de la seguridad con sus grandes zancadas y largos movimientos de brazos. Razonó que, en el mejor de los casos, disponía de dos minutos para presentar un caso convincente cara a cara con el subsecretario. Riesgo versus habilidad. Pero mientras se movía, el hombre del traje de rayas también se movía. El hombre supo que él sabía. Estaban en una carrera. Y había mucho en juego.

Tom se comunicó primero con el subsecretario.

El subsecretario extendió la mano y comenzó a decir: "Bienvenido a la Casa Blanca, señor Stiles, estoy seguro...".

“Señor, hay un hombre aquí con explosivos pegados a su cuerpo”, interrumpió Tom, “Por favor, váyase ahora. Créame, señor, por favor.”

El subsecretario miró a Tom directamente a los ojos, luego asintió brevemente, casi inapreciable, y dijo con calma: “Sr. Stiles, iré a buscar ese documento ahora, por favor discúlpeme ".

Se volvió y caminó rápidamente, susurrando una palabra al oído de su personal de seguridad más cercano mientras salía de la habitación.

Tom se volvió y gritó tan fuerte como pudo, sabiendo que abriría un camino entre la multitud solo por la agresión en su voz. Además, sabía que tenía que mantenerse agachado ya que todos los agentes de seguridad en la habitación ahora tendrían sus armas apuntadas hacia él. Se movió rápido y golpeó al hombre del traje a rayas en el pecho con un derechazo. Tom sujetó los brazos del hombre y la cabeza, entrelazando sus dedos. Pensó en Helen, Vic y sus chicas y esperó.

37

Tom hizo una cuenta regresiva desde quince. En esos quince segundos, se disculpó con Vic, Sophia y Angela, sus padres, y con un Dios en el que no creía por todos sus pecados. Una vez más, se había ofrecido como voluntario, pero esta vez, había ofrecido su vida como voluntario. Al reducir el impacto, podría salvar la vida del subsecretario, pero no la suya.

Se le ocurrió brevemente que toda su vida había sido un intento de redención. Quería redimir a sus padres de una tragedia pasada que no tenía esperanzas de controlar, influir o predecir y quería redimirse por la culpa de sobrevivir cuando el resto de su familia había muerto . En ese momento, Tom reconoció por primera vez que su vida había sido vivida al borde de la culpa.

Un grupo de SSA irrumpió en la habitación, gritando: "¡BOMBA, BOMBA, BOMBA !"

"Señores", gritó uno de ellos, "¡este edificio ahora está cerrado! Nadie entra ni sale del mismo ".

Tom apenas podía respirar.

"Está encendido y cargado, agentes. Levántenlo , espóselo y revisen su espalda. Lleva un chaleco, de poca distancia, de pequeño calibre, suficiente para matar a tres, tal vez cuatro personas".

Tom fue levantado cuidadosamente y puesto de pie al mismo tiempo que el hombre del traje. Ambos tenían armas en la cabeza y otras apuntaban al corazón y se les advirtió que no hicieran ningún movimiento brusco. Dos hombres con uniformes de protección entraron corriendo en la habitación y pasaron un escáner por el hombre del traje y luego por Tom. Tom todavía pensaba que estaba a punto de morir.

"Cierren, evacuen. Ahora. El australiano está limpio, el edificio está en Código Azul. La habitación está en cuarentena. Saquen a todo el mundo ahora mismo."

Luego, el hombre del traje de rayas azul señaló su reloj con la mano derecha. Se hicieron dos disparos y Tom sintió que la sangre se le escapaba del cuerpo. La habitación se iluminó y luego se oscureció como si todas las bombillas se hubieran fundido simultáneamente en los candelabros.

38

Tom se despertó y encontró a un guardia de seguridad a cada lado de su cama. Se preguntó si estaría en la sala de espera del purgatorio. Deseó que su madre estuviera cerca y luego se reprendió a sí mismo. ¿Un hombre adulto deseando a su madre? "Tranquilízate, Tom, incluso si estás muerto", se dijo.

"Señor. Stiles, es bueno verlo despierto", dijo Harrison.

"Harrison también está muerto", pensó Tom.

"Señor, el presidente quiere que le informe que el emisario checheno Lenik ha sido asesinado. La bomba detonó aproximadamente al diez por ciento; se suicidó e hirió a otros dos. Dos agentes. No hay civiles heridos".

"¿No hay otras víctimas?" Preguntó Tom.

"No hay otras víctimas".

"¿El subsecretario?"

"No hay otras víctimas".

"¿Cómo entró a la Casa Blanca con explosivos plásticos? ¿Y por qué?"

"Hemos examinado las imágenes de seguridad y sabemos que estaba limpio cuando entró. Pero también sabemos que recibió tres visitas después de su llegada a Washington de un hombre que creemos que podemos identificar. Sin embargo, cómo consiguió los explosivos sigue siendo un misterio. Estamos tratando de responder eso ahora, señor".

"Pensé que estaba muerto, Harrison".

"Conozco ese sentimiento, señor. Su cuerpo se apagó, subió la adrenalina y luego colapsó por completo. Los científicos dicen que después de una ECM, el cuerpo puede imitar la muerte durante tres días".

"Puedes decirlo, Harrison, experiencia cercana a la muerte, ¡está bien, amigo!"

"Sí, señor."

"¿Qué sigue?"

"Llame a su familia; deben estar preocupados. Luego le informaremos para la ceremonia de medallas".

"¿Ceremonia? ¿Y cuánto tiempo estuve fuera?"

"Sólo ha perdido un día, señor. Obtuvo el visto bueno de los médicos para asistir a la ceremonia de mañana en su honor y su reunión que se ha reprogramado antes de la cena de estado".

Tom llamó a Vic inmediatamente desde su cama. Explicó que estaba bien. Ella seguía preguntándole si estaba seguro. Ella le dijo, una y otra vez, que estaba orgullosa y enojada con él al mismo tiempo. Harrison la había puesto al día con precisión cada tres horas, sin dormir para asegurarse de que estuviera bien informada.

"Eres demasiado valiente, Tom", dijo Vic. "Y no nos servirá de nada a ninguno de nosotros".

Al regresar a su habitación para limpiar y descansar, Harrison tomó algunos periódicos matutinos y los puso en el regazo de Tom.

"Le pediré al servicio de habitaciones que le envíe algo de desayuno. Feliz lectura."

HÉROE AUSTRALIANO FRUSTRA ACTO TERRORISTA EN LA CASA BLANCA.

Atónito, Tom miró fijamente el titular del New York Times y su propio rostro impreso debajo.

39

DESPUÉS DE LA CEREMONIA POMPOSA ENCABEZADA POR UN subsecretario muy agradecido, Tom regresó a la sala Roosevelt para su reunión reprogramada y se sorprendió al ver que todos los demás en la sala ya estaban sentados con su propio asiento en la mesa, e incluso los asientos que recubrían ambas paredes estaban ocupados. Tomó asiento junto al muy agradecido subsecretario. Mientras estaba sentado, todos los delegados se pusieron de pie y aplaudieron.

El vicesecretario se hizo cargo. "Señoras y señores y distinguidos miembros de la junta. Les agradezco a todos por su paciencia mientras permitimos que el Sr. Stiles se recuperara. Por su aplauso, veo que comprenden la magnitud de lo que hizo el Sr. Stiles. Creo que ahora es mejor seguir adelante como me ha pedido el presidente."

"Mi primer pedido es aprovechar esta oportunidad para darles la bienvenida a todos al Salón Roosevelt aquí en la Casa Blanca. Una bienvenida especial también va para nuestros dos distinguidos invitados, el profesor John Hull y el Sr. Tom Stiles, a quienes el mundo ahora conoce y por quienes todos estamos muy agradecidos."

"Me gustaría agradecerles a todos por asistir a esta importante reunión especial. Como presidente, me gustaría pedir presentaciones rápidas alrededor de la mesa y alentar a todos los participantes a participar en una discusión para escuchar todos los puntos de vista."

"Señor Stiles ha sido enviado aquí por el primer ministro John Harlington para recopilar una instantánea, por así decirlo, de nuestra economía estadounidense y su estado de cosas, y para fortalecer la relación económica entre Estados Unidos y Australia en el período previo a la Cumbre del G20 en Australia en Noviembre. También creo que el Sr. Stiles ha preparado un breve discurso introductorio para comenzar nuestra reunión de esta mañana, e invito al Profesor Hull y a todos nuestros invitados especiales a presentar cualquier cosa que hayan preparado una vez que el Sr. Stiles concluya. Así que démosle la bienvenida al Sr. Stiles".

Tom se levantó y se dirigió al atril principal. "Gracias, señor subsecretario. Me gustaría comenzar este encuentro con una cita del filósofo francés, profesor Alain Badiou: "La ética de la verdad es todo lo contrario de una "ética de la comunicación". Es una ética de lo Real... La ética de la verdad se opone absolutamente a la opinión, y la ética en general".

"El profesor Badiou deja en claro que, independientemente de las demandas y presiones sobre él, las empresas deben ser éticas por dos razones: una porque todo lo que hace la empresa afecta a sus partes interesadas, y dos, porque cada coyuntura de acción también tiene trayectorias éticas. Como caminos poco éticos, donde la existencia del negocio se justifica por alternativas éticas que elige responsablemente."

"No necesito recordarles todos los numerosos escándalos corporativos y colapsos gigantescos entre 2001 y 2004 que afectaron a grandes corporaciones en los EE. UU.,como Enron, Arthur Anderson, WorldCom y Tyco, sin mencionar lo que también ha sucedido a nivel mundial. Creo que estas multinacionales tienen su principal ética empresarial a la que culpar de su desaparición. Nuestros mejores y más brillantes hombres estaban dirigiendo estas corporaciones. Una gran potencia extranjera que utilizó el terrorismo no nos hizo esto a todos, nos lo hicimos a nosotros mismos, distinguidos invitados."

"El profesor Badiou pide un cambio de paradigma con respecto a la ética. El objetivo de la epistemología es agregar conciencia al conocimiento. La ética, damas y caballeros, debe estar arraigada profundamente en nuestras creencias mediante, creo yo, un enfoque pedagógico moderno de la ética corporativa dentro de nuestras escuelas de negocios y universidades. Esta es la razón por la que se debe tomar la deliberación de un enfoque más proactivo con la gobernanza, mediante el fortalecimiento de la legislación y los controles gubernamentales."

"Este debe ser un punto de partida de nuestra discusión aquí hoy, porque nuestras creencias centrales mutuas del capitalismo afectan nuestra política y nuestra forma de democracia. Adoptar un enfoque académico simbólico o jugar con la semántica en esta reunión ahora no es suficiente, señoras y señores. Es hora de hablar sobre enfoques éticos reales, en la forma en que hacemos negocios, o fallamos a nuestros políticos, a nuestros gobiernos y, en última instancia, a nuestros electores, amigos y familias".

Tom terminó con un puño apretado, volvió a sentarse y tomó un sorbo de agua. La habitación estuvo en silencio durante un rato. El subsecretario se volvió hacia Tom y lo miró fijamente, claramente no impresionado. Y cuando la reunión finalmente concluyó, con algo de pesar, escuchó que un delegado que pasaba detrás de él murmuró : "Nunca me gustaron los franceses..."

"Tal vez debería limitarme a salvar vidas", pensó Tom.

40

Al salir, Tom buscó mensajes en su móvil. Había una llamada perdida de un número desconocido. El primo segundo de Vlad, supuso.

Pero Tom escuchó una voz femenina con un claro acento americano del medio oeste. Quería que la encontrara esa noche a las siete en el bar Round Robin. La Cena de Estado era a las ocho y las bebidas antes de la cena a las siete y media, por lo que supuso que tendría tiempo para reunirse con ella brevemente.

A las siete menos cinco, Tom entró vistiendo un esmoquin dentro del Round Robin. Se sentó en uno de los dos únicos taburetes que quedaban, el más cercano a las salidas de la calle y donde el bar parecía menos concurrido.

Sus ojos recorrieron las fotos firmadas de Jimmy Connors y John McEnroe en las paredes. Detrás de la barra había una raqueta de tenis de tres metros y medio de largo y, por encima de la barra, las bombillas brillaban, de un color verde brillante como pelotas de tenis. Sting sonaba en la rocola y las camareras vestían minifaldas blancas. Nadie en la multitud se tomaba el lugar ni a ellos mismos demasiado en serio; estaba tan frío como el Glenmorangie que acababa de pedir Tom.

Tom examinó la multitud. Estudiantes ricos, esposas de congresistas, uno o dos que lo saludaban con la mano, un par de celebridades de grado B rodeadas de lacayos y al menos dos hombres de negocios drogados con cocaína. Tom sonrió para sí mismo. La camarera le trajo su bebida y no pidió ningún pago, aunque Tom decidió que le daría una propina cuando se marchara. Ella se volvió, sonrió y lo llamó cariño después de gritar: "¡La moneda australiana es mi favorita!".

Luego Tom vio un fantasma.

Natasha caminó hacia él entre la multitud con un vestido de cóctel sin tirantes azul oscuro dividido hasta el muslo. Quedó hechizado, asustado, incrédulo, extasiado. Su largo cabello rubio rebotaba sobre sus hombros con cada paso. ¿Había vuelto de entre los muertos? ¿O había algo mal en su cerebro? En las horas que pareció tardar para que ella se acercara a él, Tom cuestionó su propia cordura, el contenido de su bebida y los efectos alucinatorios de las luces de las pelotas de tenis.

"Soy Anna Goesoff, Sr. Stiles". Ella sonrió, sus ojos se posaron sobre él.

"Te miré desde la distancia, Anna, y no miraste a tu alrededor ni vacilaste. ¿Cómo sabías que era conmigo con quien te encontrarías?

“Noté que llamé tu atención. Además, tu cara está en todos los medios".

"Entonces, eres la media hermana de Natasha, no me di cuenta de que eras tan idéntica. Es extraordinario. Excepto que tu mancha de belleza está en la mejilla opuesta".

Llegó una camarera con otro Glenmorangie para Tom y un Martini, sin aceitunas, para Anna. “Incluso huele a Natasha”, pensó Tom.

“No puedo tener una pequeña charla ahora. Solo estoy aquí para ponerme en contacto contigo, eso es todo. Me reuniré contigo aquí mañana, a la misma hora, y te entregaré el paquete. ¿Lo entiendes?"

Tom asintió. Anna inclinó un poco el cuello y apuró su bebida, colocando su vaso casi vacío en la barra. Mientras estaba de pie, la abertura de su vestido se abrió, revelando unas ligas y tirantes rojos. Captó la mirada de Tom, y abrió la abertura un poco más, se llevó el dedo a la boca y mordió con fuerza. Luego cerró la abertura

y se alejó. Tom tragó su bebida e hizo el gesto de "no" cuando le ofreció otra. "El mañana tardará una eternidad en llegar", pensó. Al salir del bar, Anna se volvió una vez más y sonrió.

41

Tom mostró al seguridad su invitación y fue saludado a través de las puertas. Otros clientes llegaron en limusina con chofer. A Tom le gustó que él solo estuviera a pie.

Al entrar en la Casa Blanca, un locutor dijo: "Sr. ¡Tom Stiles, patriota honorario y héroe nacional! "

Las cámaras hicieron clic, aparecieron micrófonos y le dispararon una ráfaga de preguntas hasta que los agentes acompañaron a Tom a través de la prensa hasta el jardín sur, donde Paul estaba sentado entre estimados invitados presidenciales en una de las diez largas mesas, bebiendo un Whisky con soda. El jardín estaba decorado con mesas con flecos de lino y ramos de fresias, "la flor favorita de la esposa del presidente", recordó Tom. Velas pequeñas y acanaladas iluminaban los caminos y un cuarteto de violinistas, todas mujeres, todas con vestidos negros largos y sueltos, tocaban Vivaldi. Paul saludó a la escolta de Tom de manera totalmente militar y se retiraron.

"Entonces, Tom, ¿te has acostumbrado a ser un héroe nacional?"

"Ojalá Vic lo viera de esa manera. Ella no está tan impresionada con mis payasadas".

"Olvídalo por ahora. Estás aquí con un propósito superior y no me refiero solo a las conversaciones sobre el fraude".

"Escúpelo, amigo". Tom había sospechado desde el principio que la conferencia era una fachada para otra cosa. Ahora esperaba a que Paul jugara la mano completa.

"Piénsalo, Tom", comenzó Paul, "construiste un negocio sobre la base de la ética. La ética se convirtió en tu marca registrada. Tuviste éxito con esa marca registrada y la gente buscó algo en tu pasado. Lo que encontraron fue entrenamiento militar y experiencia en explosivos, en resumen, un asesino potencial. Con tu negocio y tu familia, incluso tu valentía a nivel local como bombero voluntario, te has construido un encubrimiento sin saberlo".

"¿Un encubierto para qué?"

"Agencia de nivel Elite A., Tom, tienes el material básico para ser un fantasma. El primer ministro me ordenó ofrecerte un lugar en mi equipo, nivel SFA, estado húmedo, efectivo tan pronto como regresemos a suelo australiano. El subsecretario quedó tan impresionado con tu salvamento el otro día que llamó al primer ministro de inmediato y se tomó la decisión. Repasaron tu pasado y vieron que habías sido elogiado por tus períodos de servicio en Afganistán. La verdad es que el primer ministro, el ministro de defensa y el director te han estado considerando desde hace un tiempo, desde ScamTell".

"Paul, habla en serio, soy un hombre de familia. Un hombre de negocios. Decidí no asumir esa vida hace años. Ahora cazo gente de una manera diferente: sin armas ni bombas, solo hojas de cálculo y un poco de piratería informática. En todo caso, después de este viaje, ahora soy más conocido que antes. Todo Estados Unidos y la mitad del mundo me han visto la cara. ¿No se supone que los fantasmas sean clandestinos, anónimos? "

"A veces es más efectivo ser invitado a una fiesta que irrumpir".

"Nivel de SFA: estado húmedo... ¿qué es eso?"

"Los agentes de élite de ASIO que trabajan con nuestros homólogos estadounidenses en misiones encubiertas son equipos húmedos autorizados, es decir, asesinos de luz verde. Permiso para matar. Al primer ministro le gustaría que asumieras una operación dual encubierta dentro y fuera de Australia y los EE. UU., Relacionada con una actividad financiera inusual, dirigida a diplomáticos y agregados de alto rango. Tu cobertura será real: eres un experto en fraudes que trabaja en el nuevo grupo de trabajo."

"Esto es parte de una nueva iniciativa, operaciones encubiertas: Zulu. Australia trabaja ahora más estrechamente que nunca con nuestros aliados estadounidenses. El primer ministro acaba de comprometerse con esta nueva iniciativa encubierta con Estados Unidos para ayudar a combatir la guerra contra el terrorismo. Es una nueva forma, Tom. En BOZ hacemos lo que ASIO no tiene las pelotas para hacer. Por eso estás aquí y no estás hablando con el director de ASIO. Estarás apagando incendios, Tom. Es lo que mejor haces".

42

"Paul. Tengo una familia y dirijo un negocio. No soy un espía y no soy un asesino".

"Tú eres el que hizo la salvación, Tom."

"Mira, me importa un carajo. Eso era simplemente hacer lo que un hombre tenía que hacer. Solo estoy aquí porque el primer ministro lo solicitó, ¿de acuerdo?"

"No todos los hombres arriesgan su vida, Tom. No todo hombre de familia u hombre de negocios tiene el instinto y la valentía para actuar. El primer ministro ha pedido que seas voluntario, Tom. Piénsalo amigo, ahora eres una figura mundial. Puedes ingresar a cualquier país con el más breve de los controles de seguridad y el más mínimo de los pretextos. ¡Acabas de desarmar a un terrorista que trabajaba sólo por instinto! "

"Simplemente tuve suerte. El lugar correcto en el momento adecuado. Eso es todo."

"No, Tom. Eso no es todo. Ahora eres un desafío. La mitad de las organizaciones corruptas del mundo, ya sean frentes del terrorismo, el tráfico de drogas o el levantamiento civil de un gobierno, ahora querrán comprarte. ¿Quién mejor para enfrentar el mal que el hombre inoxidable? Piensa en ello, amigo, si quieres que te vean como alguien recto ante los ojos de la ley, pídele a un hombre ético que te investigue".

Tom le arrebató otra copa de champán a uno de los muchos camareros que pasaban. Paul se puso de pie, sonrió y se alejó. Tom observó mientras comenzaba una intensa discusión con un hombre que vestía doce medallas en su uniforme. "Más confeti que en una boda", pensó Tom.

43

Sonó la campana de la cena. Antes de que saliera el presidente, una hermosa mujer negra con un vestido plateado de lentejuelas cantó una interpretación a capela del himno nacional. Todos se pusieron de pie y se pusieron las manos en el corazón.

Luego, entre trompetas a todo volumen, llegó el presidente con su esposa y dos hijas pequeñas, ambas un poco mayores que las de Tom. Hizo un breve discurso de bienvenida y la gente volvió a sentarse mientras los camareros traían el primer plato de ostras. Para diversión de Tom, eran ostras de roca de Sydney, declaradas en el menú como las mejores ostras del mundo. Paul levantó una en el aire y brindó por Tom en silencio, y ambos sonrieron y las golpearon de vuelta .

Entre plato y plato, Tom se dirigió a la mesa de Paul. "¿Qué mesa de aquí no es una mesa de potencia?" Tom pensó, mirando a los congresistas, senadores y sus glamorosas esposas, quienes probablemente eran todos graduados de Columbia o Yale y quienes sin duda encabezaban causas benéficas, no porque fueran santos, sino porque eso en sí mismo era hacer campaña a favor de sus maridos. Luego estaban las senadoras, cada una de las cuales mostraba un ingenio agudo y una preparación perfecta, y un novio millonario que parecía recién salido de un sanatorio.

Paul presentó a Tom a los hombres y mujeres que estaban alrededor de la mesa: comerciantes de Wall Street que tenían bonos, el decano de Yale, una estrella de cine a quien Tom reconoció de una trilogía de malas películas de acción y el gerente general de los Washington Redskins. Los empresarios querían hablar de deportes o de Hollywood y la estrella de Hollywood quería hablar de los derechos humanos en China. Tom los escuchó con atención.

"Si conseguimos a este chico que buscamos de Penn State como refuerzo de mitad de temporada, llegaremos a las eliminatorias ", dijo el gerente general. "Ponle dinero a este".

"¿Será que puedo poner dinero para conseguirte al chico y luego poner dinero en él?" preguntó un sonriente hombre de negocios.

"Claro que puedes. Podemos hablar más tarde, Jerry".

"Entonces, díganme, caballeros, ¿invertir en fútbol es menos riesgoso que invertir en una película de Hollywood?" preguntó el actor.

"Todo es gestión de riesgos, balance de probabilidades, astucia de ratas", respondió el empresario.

"La astucia de las ratas hizo que todas las ratas huyeran recientemente de un barco que se hundía, si no recuerdo mal", dijo el decano.

"En una línea de tiempo lo suficientemente larga, la tasa de supervivencia de todos cae a cero. Ahora bien, si su línea de tiempo comienza en un tiempo prestado, cada día que permanece con vida es un milagro. Los milagros no son probables".

"Entonces, ¿qué dirige el mercado ahora?" preguntó el actor.

"Una fe absoluta en los milagros".

44

Todos en la mesa sonrieron pero ninguno lucía cómodo.

Dos profesores universitarios comenzaron a discutir el problema del boom de China. "Nadie puede competir con China en precio. China vende grandes cantidades de bienes al resto del mundo, ¡sin que el resto del mundo tenga ninguna posibilidad de vender cantidades similares a ese país ! Como solía decir Japón, no compramos, vendemos".

"Y nadie les vende a los que les venden. Está abierto y crea un desequilibrio estructural".

"Entonces, ¿a dónde lleva este desequilibrio?"

"Bueno, hemos visto el iceberg y ahora realmente puede inclinarse... mira a Europa. La democracia como campo de juego nivelado siempre fue una mentira. Solo te haces rico haciendo pobre a otra persona. El dinero genera dinero".

"Entonces, ¿el fin de la democracia?"

"Como ideal, sí. ¿Qué hacen por los desempleados? ¿Los privados de sus derechos? ¿No es la India la democracia más grande del mundo, con también la mayor diferencia porcentual entre los pobres y la clase media, el medio ambiente más contaminado, la gente más empobrecida? "

"¿La pobreza conduce a la ira, la ira conduce a la violencia, la violencia conduce al cambio?"

"¿Fin del juego?"

Tom se volvió hacia el gerente general de los Redskins, que apenas había dicho una palabra y tenía una expresión aburrida. "¿Supongo que su trabajo significa que rara vez tiene tiempo para concentrarse en las economías y demás?"

"Por el contrario, todo el deporte se centra en la economía, todos intentamos minimizar nuestras pérdidas y maximizar nuestras ganancias. Pero una cosa que hemos aprendido que otros no parecen haber aprendido es que no es necesario perder nada".

"No sé mucho sobre la NFL", dijo Tom. "Sigo el fútbol, pero sé que todas las empresas tienen que dar algo, perder algo, incluso si hablamos de salarios".

"Sí, por supuesto, pero los salarios no son una pérdida si recuperas más de lo que pagaste. Todos estos tipos salieron con Maestría en Negocios de Yale y Harvard, y maestros estadísticos y la mejor gente de fitness, y nos dieron todos los datos y modelos comerciales llamados relevantes o revolucionarios y nosotros llegamos de últimos".

"Entonces, ¿qué cambió? Acaban de ganar el título, ¿no?"

"Los dos últimos en realidad. Redujimos todo a una premisa simple: ¿cuál es el método más simple que funciona y cuánto cuesta la simplicidad? Solo tenemos gente en cada departamento que hizo un buen trabajo , no de manera brillante, solo lo suficientemente bueno . Hicimos lo mismo en el campo y lo coordinamos todo para que cada persona hiciera su trabajo, ni más ni menos. Eran engranajes, claro, pero el reloj seguía corriendo."

"Simplemente definimos lo que queríamos, ganar, y encontramos la forma más sencilla de lograrlo y conseguimos que todos participaran. Estábamos limitados en lo que podíamos hacer por el servicio militar, los topes salariales, etc., pero como dijo una vez el poeta, "La limitación genera poder.

La fuerza del genio proviene de que está encerrado en una botella'. Hicimos lo que pudimos con lo que teníamos, ahorramos dinero, ganamos. El mundo es demasiado complicado para su propio bien".

45

Tom podía ver los problemas que se avecinaban para la economía mundial. En retrospectiva, había comenzado cuando Estados Unidos ignoró una balanza comercial justa en la década de 1970 y simplemente imprimió más dinero para cubrir sus importaciones, abandonando el patrón oro. Pero luego las ratas euro se volvieron astutas y querían el pago en oro en lugar de dólares estadounidenses. Las alas de la mariposa empezaron a aletear. Luego el Vesubio llovió sobre los bancos mundiales y, a su vez, sobre los gobiernos.

En su papel en el Grupo de Trabajo Internacional contra el Fraude, Tom estaba buscando la próxima mariposa y tenía que capturarla, preservarla, fijarla y presentársela al primer ministro. Estaba seguro de que podría encontrarlo, el próximo gran fraude, escondido en las alas de la mariposa.

Y tal vez la mariposa representaría las cosas más simples, en un mundo donde podemos hablar con alguien cara a cara mientras estamos a miles de kilómetros de distancia, donde todos nuestros movimientos pueden ser rastreados, todas nuestras llamadas escuchadas, todos nuestros correos electrónicos releídos y todo estas cosas están protegidas por servidores y redes de seguridad, ¿cómo se puede reducir la vida a la simplicidad? ¿Cómo se puede desaparecer?

Un Beef Wellington con papas Hasselback y berza, aparentemente la favorita del presidente, llegó, y la conversación se hizo más lenta mientras todos comían. El entretenimiento fue el concierto de U2 transmitido en vivo desde Central Park en una pantalla grande. Bono estaba cantando "Todavía no he encontrado lo que estaba buscando."

46

Necesitaba escapar de la cena. Las sinapsis en su cerebro estaban comenzando a tararear con energía, una energía que solo se debía en parte al recuerdo del vestido de Anna.

De regreso a su habitación de hotel, se puso unos calzoncillos y una camiseta Bonds, sacó una Budweiser del minibar y se sentó a la mesa para escribir sus pensamientos. Las ideas eran como una formación de nubes que comenzaba a parecerse a una figura de algún tipo, ni definida ni concreta, que sería, por supuesto, definida por el ojo del espectador. Los fragmentos de las conversaciones que Tom había escuchado en la Cena de Estado se reprodujeron en su mente y se cruzaron y fusionaron con estas ideas.

Tom trabajó en sus notas, tratando de formar un todo a partir de sus pensamientos fragmentados, tratando de pensar global y provincialmente al mismo tiempo. Balanceó, calculó y pronosticó, buscando la próxima mariposa.

Su teléfono sonó con un mensaje de texto de Paul, que solicitaba que se reuniera con él para desayunar a las siete cuarenta y cinco de la mañana siguiente. Su mente se centró en la oferta de Paul. ¿Qué significaría para su vida? ¿Las vidas de su familia? ¿Cómo podría un padre de pronto asumir el papel de asesino internacional? Era una propuesta ridícula y demasiado arriesgada. ¿Cómo podrían coexistir esas dos vidas?

Pero reconoció un tirón en sí mismo, no al glamour y ciertamente no a la matanza. Su sentido de lealtad se había activado, su orgullo había sido aprovechado y, al final, tuvo que admitir que descubrir el fraude monetario y en Internet era aburrido, no había adrenalina en ello. Por el amor de Dios, el presidente de los Estados Unidos y el primer ministro de Australia lo habían llamado, ¿quién era él para decir que no? Además, sus recientes tratos con Vlad y su introducción al mundo del crimen de poca monta habían despertado algo en él. Había sentido la necesidad de arriesgarse de nuevo como nunca antes desde Duntroon.

Había algo más. Supuso que se llamaba vanidad. Aquí estaba en compañía de la élite mundial y se sentía como en casa, incluso a gusto. Se dio cuenta de que este era el mundo que siempre había anhelado. Esta era la respuesta esquiva que había estado buscando durante toda su vida. O al menos, en su vida después de Helen.

Siempre se había reconocido a sí mismo, con nada más que orgullo, que había abandonado todos los despliegues militares y se había mantenido en el curso de su formación financiera para asegurarse de ser primero un buen esposo para Helen y luego un buen proveedor de sus hijas . Había dejado de lado las opciones más arriesgadas de permanecer en el ejército, convertirse en bombero como su padre o incluso seguir una carrera en el mercado de valores para asegurarse de que sus ingresos fueran tan estables como sus horas.

Su propia infancia había sido desigual, rota y llena de cicatrices. Después de la muerte de sus padres, sus abuelos lo amaron, pero su amor estuvo manchado por el dolor y él siempre supo que él era un recordatorio diario de todo lo que habían perdido. Él era el único que quedaba. Ellos le dieron lo que les quedaba para dar, y era más de lo que jamás había pedido, aunque no tanto.

El dolor de Tom necesitaba ser cauterizado por buenas, aunque peligrosas, acciones. Había buscado distracción y la encontró al principio en equipos deportivos, luego en deportes peligrosos como el ala delta, y finalmente en Duntroon. En los años posteriores a Helen, lo encontró arriesgando su vida como lo había hecho su padre. ¿No alucinó una mañana llena de humo al borde de la cima de una montaña en llamas ver a su padre? ¿No buscó el riesgo en los lechos de mujeres hermosas?

47

A LAS DIEZ Y MEDIA LLAMARON A LA PUERTA Y UN CAMARERO introdujo una botella de Kauffman Vintage Vodka sumergida en hielo. Una tarjeta alrededor del cuello de la botella simplemente se leía " regalo".

El conserje llamó a su habitación unos diez minutos más tarde y le preguntó si conocía a una mujer llamada AG. Tom hizo una pausa por un momento y le preguntó al conserje qué vestía la mujer. Él respondió que llevaba un abrigo de piel que, para su ojo entrenado, parecía un zorro y sin duda era real. El conserje agregó que la mujer no quería pasar por la recepción, por lo que si el Sr. Stiles estaba feliz de que ella subiera, la llevaría él mismo.

"Sería un honor para mí estar en su divina compañía unos minutos más", dijo el conserje.

Cuando Anna entró en la habitación, su abrigo de piel de zorro cayó al suelo, revelando un corsé de satén negro y una fina tanga negra. Nada más. Tenía el cuerpo de una bailarina del vientre, todo curvas y flexibilidad, carne y músculos. El corsé le quedaba bien ajustado y estaba anudado en la espalda. Bebió un Kauffman mientras Tom lo desataba.

Durante las siguientes seis horas, Anna fue su mujer abandonada, su dominatriz, su esposa, su amante. Hacían el amor con una dulce suciedad, dando vueltas como un carrusel, enmascarados y desenmascarados de deseo como un carnaval. Se rompieron el uno al otro, se convirtieron en amo y esclavo el uno del otro. Ella era Natasha y Anna al mismo tiempo, luego ninguna, un espectro que acechaba su devastado pero deseoso cuerpo.

Cuando se despertó, ella se había ido y también su camisa blanca de esmoquin. Pensó que podría haber sido un sueño, pero tenía el cuello magullado y el olor a jazmín de su cuerpo dominaba los vapores de vodka en la habitación. Tom apenas podía moverse. Se sentía tan saciado y en peligro como un emperador de Roma. Y tenía doce minutos antes de encontrarse con Paul.

48

"TOM, POR AQUÍ, AMIGO", GRITÓ PAUL POR ENCIMA DEL bullicio, agitando una mano en el aire.

"Buenos días, Paul. ¿Cómo estás hoy, amigo?" Tom dijo mientras un camarero rondaba. "Tráigame lo mismo que él tiene, gracias".

"Sí, señor, ¿será el desayuno continental y una taza de té?"

"Sí, salud". El camarero salió disparado con una breve reverencia.

"Tom, ¿te interesaría asistir a algunas reuniones conmigo esta mañana? No te preocupes, no tendrás que hacer nada, solo acompáñame, eso es todo. ¿Qué te parece?"

"¿A dónde ?"

"A la vuelta de la esquina desde aquí, en la calle Veintiuno. Dos o tres horas, como máximo, y luego una reunión conjunta con el FBI y la CIA. Prometo que no será un día completo ", dijo Paul, justo cuando el camarero le entregaba dos tazas de té.

Tom se sirvió una taza de té y, cuando el vapor se disipó, vio a Anna sentada sola en el extremo más alejado del restaurante, desayunando. El camarero regresó con dos platos llenos de huevos, tocino, salchichas y tomates. No era lo que habían pedido, pero Paul cayó sobre su plato como un hombre hambriento.

"Oh, bueno, cuando la tentación te está mirando, sería un tonto si la ignorara. ¡Y se supone que debo estar a dieta! "

"No podría estar más de acuerdo", dijo Tom, apartando el plato, incapaz de apartar los ojos de Anna. “Incluso se ve sexy comiendo una tostada”, pensó.

Paul continuó con su diatriba sobre quién sabe qué, conociendo a quién sabe quién, sin darse cuenta de que él ya no era el centro de atención de Tom. Anna llevaba su camisa blanca debajo de su abrigo de piel. Observó como ella se levantaba de su mesa y se dirigía lentamente hacia él, su paso decidido, su cabello moviéndose como si estuviera en una película.

Mientras pasaba por el respaldo de su silla, sus dedos rozaron su hombro y sin ningún otro reconocimiento, continuó caminando directamente fuera del restaurante. Ajeno a la interacción, Paul se metió en la boca medio tomate y un trozo de salchicha.

Tom tomó la servilleta de su regazo, la dejó caer sobre la mesa y respiró hondo antes de levantarse y disculparse apresuradamente.

"Me acabo de acordar. ¡Necesito llamar a Vic! Ya sabes cómo ... oh, no, así es, no tienes hijos, ¿verdad? Bueno, será mejor que no haga esperar a Vic. Tengo que irme. ¡Lo siento!"

"¡Tom! ¿Qué pasa con la reunión de la CIA después del desayuno?”

"Mira, tengo que hacer demasiado hoy, ¿de acuerdo? Después de tratar con Vic, necesito preparar un informe para el primer ministro, ya sabes. Estaré en mi habitación la mayor parte del día, así que adelante, me pondré al día contigo más tarde".

"¡Puedes hacer eso en el vuelo de regreso!"

"Lo siento, tengo que irme, ¡no puedo hacer que Vic espere!" saludó por encima del hombro mientras se dirigía hacia la puerta.

"Tom, hay que estar en el vestíbulo a las veintiuna , ¿de acuerdo?" Paul le gritó.

Tom logró atrapar a Anna justo cuando se abrían las puertas del ascensor.

"¿Me está siguiendo, Sr. Stiles?"

"Ahora, a mi habitación, Anna"ordenó Tom mientras ambos entraban en el ascensor.

"No debo. Se supone que no lo veré hasta esta noche, antes de su vuelo a casa, señor Stiles."

"¿Cómo sabes que me voy esta noche?"

"No hay nada que no sepa de ti".

"Lo entiendo, parece. Ven a mi cuarto. Dime tus secretos."

Tan pronto como la puerta del ascensor se cerró, se abalanzaron el uno sobre el otro. En un segundo, Tom le rozó las bragas con los dedos y le metió el dedo índice en la boca, mordiendo con fuerza. Entonces sonó la campana para alertarlos de su piso. Se las arreglaron, simplemente, para calmarse y reorganizar la ropa desarreglada cuando se abrieron las puertas.

Una vez que entraron en la habitación de Tom, el abrigo de piel de Anna volvió a caer al suelo.

49

Más tarde, con Anna acostada a su lado, a Tom le vino a la mente una visión de sus hijas y se sintió despierto por primera vez en días. Lo había vuelto a hacer. Se había inclinado ante la lujuria y había puesto a su familia en segundo lugar.

Sabiendo que había roto todas sus promesas, a sí mismo, a Vic y las niñas, a su hijo por nacer, se sintió mal del estómago. Y sin embargo, puso su brazo sobre la cadera de Anna, se acercó y besó su boca ligeramente abierta.

"Estoy atrapada en mi vida, Tom", dijo Anna, con los ojos cerrados. Su cabello le había caído sobre la cara.

Tom permaneció en silencio.

"Mi padre es un delincuente de poca monta con ideas de grandeza. No es más que un proxeneta, y si no fuera por nuestra madre, también nos habría engañado a Tasha y a mí. Si hubiéramos nacido feas, ambas estaríamos muertas."

"Oh Dios, Tasha. Recuerdo que desde muy joven nuestra madre le tenía mucho miedo constantemente. Pero llevar a Tash a Australia con ella no mantuvo a nuestra madre a salvo de él. Ese es el tipo de hombre que es".

Ella comenzó a llorar. Tom la abrazó y sintió a Natasha parada cerca, mirándolos, despreciándolos a ambos. "Saltar sobre su tumba", pensó Tom para sí mismo, "eso es lo que acabamos de hacer."

"Diamantes. El paquete está en mi habitación".

"¿La entrega?"

"Sí, debía haberte seducido, para comprar tu lealtad, para asegurarme de poder tener acceso a ti en cualquier momento. Nos han observado. Estamos siendo vigilados".

Tom pensó en el equipo de vigilancia de la habitación. Alguien lo tenía en el disco cogiéndose a Anna. Pero se estaba acostumbrando a que lo vigilaran.

"Entonces, ¿algo de esto fue real, Anna?"

"Más real de lo que nunca quise que fuera".

"¿Cómo puedo salvarte?"

"Haz esto por mí. Pasa de contrabando el paquete a Australia. No se pueden rastrear. No conozco toda la historia y ni siquiera he visto el paquete desenvuelto, pero me dijeron que eran diamantes, sin tallar y que valían la pena para armar un pequeño país. Habrá un intercambio, se utilizarán como trueque; los diamantes deben desaparecer. Estarán dispersos por todo el mundo".

"¿Por qué Vlad no puede simplemente hacer que uno de sus secuaces los introduzca de contrabando?"

"Porque los diamantes le pueden ser robados a alguien que los roba . Sus secuaces son todos Camino de la Muerte. Mi padre ha sido demasiado ambicioso. Cree que está trabajando por una causa superior. Pero es solo un peón.. Y si los diamantes no se negocian, la muerte para todos será el resultado ".

"¿Camino de la Muerte?"

"Se han contactado con ellos. Todos son hombres muertos. Tienen una semana de vida, cada uno de ellos. Se cruzaron con un hombre peligroso".

"¿Quién es?"

"No pronuncies su nombre, Tom, especialmente con tu amante. Su nombre significa muerte".

50

Las sombras del atardecer llenaron la habitación. Tom miró fijamente el característico lunar negro de la familia en la mejilla izquierda de Anna. La envolvió con fuerza en sus brazos y trató de no pensar en la creciente complejidad de la pesadilla que era su vida porque cuanto más se acercaba, más compleja parecía volverse.

Anna se levantó y fue al baño. Tom escuchó correr la ducha. Revisó su teléfono. Había cuatro mensajes de Paul, cada uno más frenético y enojado que el anterior, uno de Vic y otro de un número desconocido.

¿Quién tira mejor?

"Bien podría haber llamado a la puerta y preguntarme en persona, Vlad", dijo Tom en voz alta.

Cuando Anna regresó al dormitorio, le preguntó por qué Vlad lo llamaba Voluntario.

"¿Pensé que sabías todo sobre mí?" Tom respondió con una sonrisa.

"Sé que luchaste contra incendios, pero ¿es un código para otra cosa?"

"No que yo sepa, pero parece que lo que sé es cada día menos".

Ella se recostó sobre él y lo besó larga y profundamente.

"Tengo que recoger el paquete a las siete, abajo. Sin hablar, sin bebidas. Esto es un adiós."

"Quédate una hora más, Anna. Regresa a la cama."

"Te deseo una vida feliz", dijo y salió por la puerta.

Las sombras de la tarde se alargaron y sin la presencia de Anna, la habitación se sintió fría. Sonó el teléfono de Tom: un nuevo mensaje de Paul.

Cena a las 8, llega ahí, bastardo. ¿Qué estuviste haciendo todo el día? Nunca saliste de tu habitación. FYI = Rueda hacia arriba con retraso.

51

El peor temor de Tom era que Paul captara algo con su sexto sentido por lo que, según Paul, se había hecho famoso dentro de la agencia.

Si confesaba todo ahora, aún podría reclutar a Paul para que lo ayudara a deshacerse de Vlad. Podría simplemente aclarar todo el asunto de los negocios y la extorsión, renunciar al grupo de trabajo y volver a sus asuntos.

La gente lo reconocería al principio, pero eso pronto desaparecería, y se convertiría en otro personaje anónimo que atravesaba las puertas giratorias hacia los bancos comerciales y las compañías de seguros. El tipo del fraude. Bueno, era un fraude, ¿no? Entonces su vida podría volver a las investigaciones de fraude y pasar más tiempo con sus hijas . Podía vivir una vida cómoda con Vic y las niñas y enseñarle a su hijo a andar en bicicleta, hacer una honda, driblar un balón de fútbol.

Irian de vacaciones todos los años a las islas griegas, a Lindos, el lugar de nacimiento de Helen, en Rodas. Quizás tendría más hijos con Vic. Se veía a sí mismo asando pescado con sedal para sus nietos.

Sabía que debería llamar a Vic, pero no podía hacerlo. Había decidido no convertirse en agente de Operaciones Encubiertas. Todo lo que realmente tenía que hacer era arreglar a Vlad.

Entró en el bar y saludó con la cabeza al camarero. Había el mismo tipo de público que la noche anterior: congresistas, diplomáticos, jugadores de la NBA que envejecían. Excepto que esta noche había seguridad adicional. Llamativos con sus trajes oscuros y gafas de sol, dos hombres vestidos como árabes, que Tom sintió que no eran árabes en absoluto, y tres mujeres con burkas, se sentaron alrededor de una mesa comiendo nueces y bebiendo agua mineral. Aretha Franklin estaba cantando R.E.S.P.E.C.T. Tom vio a Anna entrar a través del espejo del bar. Ella captó su mirada en el reflejo.

Se veía deslumbrante con su cabello recién lavado y peinado, pero estaba vestida tranquilamente con un traje azul y pantalones, y solo sus tacones de lentejuelas insinuaban su espíritu salvaje. "Habla en serio", pensó Tom.

Anna se acercó a Tom, le levantó la mano y colocó el paquete en su palma. Entonces ella se fue. Los dos disfrazados de árabes la siguieron. Las mujeres vestidas con burkas florales oscuros salieron por una salida diferente. Tom salió a la calle, vio que todo el grupo subía a un Hummer negro y se alejaba.

Tom volvió a entrar, bebió dos Glenmorangies y luego un tercero, sintiendo que su corazón se amortiguaba un poco. Sintió que Anna estaba en problemas y solo él podía salvarla. Al menos le debía a Natasha, a quien había amado (lo admitía ahora), entregar el paquete. Decirle a Paul estaba fuera de discusión. Dudaba que a Paul le importara lo suficiente como para salvar a Anna.

Su mente volvió a pensar en la muerte de Natasha, el chantaje de Vlad, el acercamiento del primer ministro, Washington, Anna. Había pasado de una simple quemadura de espalda al lugar más caliente del planeta. Había pasado de ser un hombre de negocios y de familia con una debilidad por las mujeres a un corredor de la mafia, amante de peligrosas medias hermanas, agregado especial del primer ministro y un potencial asesino.

Su teléfono sonó dos veces.

¿¿ ¡Estoy a la espera!??

52

"Gracias, Anthony. Estoy listo para ordenar ahora, por favor ", dijo Paul sarcásticamente tan pronto como Tom estuvo sentado junto al camarero.

"Muy bien, señor", respondió el camarero mientras sacaba su tableta con pantalla táctil.

"Pediré la cola de langosta como entrada , salmón noruego a la parrilla con costra de hinojo y salsa de mantequilla Chardonnay. Y una botella de Dog Point Sauvignon Blanc, gracias, Anthony".

"¿Tienes hambre, Paul?" Dijo Tom.

"Perdiste siete minutos más de mi tiempo Tom, que son siete minutos menos para informarte sobre lo que está por venir. ¿Sabes lo que significan siete minutos en este negocio?"

"Déjame adivinar, ¿la diferencia entre la vida y la muerte?"

"No, Tom, algo mucho más importante que eso", dijo Paul y permitió que una sonrisa se dibujara en su rostro.

El camarero hizo una reverencia y se volvió hacia Tom: "¿Y para usted, señor?"

A Tom le sorprendió que el camarero no pareciera avergonzado o desconcertado por el fragmento de conversación que acababa de escuchar. Tom supuso que, en una ciudad como Washington, cualquier conversación sobre espionaje, como altas finanzas o campañas electorales, era una charla normal en la mesa de la cena. ¿Cuántas vidas se habían decidido en tal reunión? ¿Cuántas democracias se habían salvado o entregado a un presidente tonto, cuántos dictadores habían arruinado su destino, entre cursos, en esta misma mesa? Tom pidió las patatas fritas y una Pata deBuffalo , solo para variar.

"Gracias caballeros. Les traeré sus bebidas de inmediato", anunció Anthony, mientras colocaba hábilmente las servilletas en sus regazos.

Durante la cena, Paul habló en un código que Tom luchó por descifrar. Había un BOZ en Washington, pero Paul no sabía en qué bar estaba tocando ni quién pagaba el flautista. Paul dijo que su tarjeta de baile estaba vacía y ¿Tom había cambiado de opinión sobre bailar con el diablo? ¿No es eso lo que había estado haciendo durante mucho tiempo? Tom sonrió.

Paul pidió la tarjeta de acceso a la habitación de Tom para poder empacar sus pertenencias y llevarlas al automóvil. Tom debía seguirlo hasta el vehículo después de la comida, donde los llevarían al aeropuerto para regresar a casa. Tom habló poco, tratando de digerir la conversación críptica de Paul, ¡Solo Dios sabe en qué estaba pensando al devolver las espinacas porque estabandemasiado cocidas!

Paul realmente no pareció estar buscando conversación. Estaba contento, entre bocado y bocado, de recitar un monólogo, esparciendo palabras en clave para recordarse a sí mismo en qué necesitaba concentrarse. Tom pronto se llenó con el bistec, palabras y bourbon. Volvió a pensar en lo que debería hacer con el paquete: entregárselo a Paul, arriesgar la vida de su familia y la de Anna, o seguir ocultándolo y, como estaba previsto, entregárselo a los chechenos.

Paul guardó silencio de camino al aeropuerto. Henry, también se quedó en silencio, se dirigió directamente al jet del primer ministro en esa misma sección segura del aeropuerto y la tripulación habitual se alineó frente al jet, cada uno iluminado por turno cuando los faros del automóvil pasaron sobre ellos. Paul los ignoró por completo mientras se mantenían firmes y lo saludaban cuando pasaba.

53

De repente, las ruedas se pusieron en movimiento y, después de algunos giros bruscos, despegaron del suelo.

Después de unos quince minutos, Tom captó un olor familiar proveniente de algún lugar del avión. Olfateó el aire y su mente fue en busca de un recuerdo evasivo, que podía ver en el borde mismo de su mente como si estuviera entrecerrando los ojos a una pequeña figura en el horizonte. El olor era a harina, dulce y, aunque Tom estaba saciado, se le empezó a hacer agua la boca .

"¿Qué es ese olor, Paul?" preguntó.

"Bollos".

"¿En serio?"

"Sí, es la hora del desayuno para la tripulación. Tienen mermelada y bollos cuando están fuera de casa".

"Me recuerda a mi abuela".

"A mí también."

Los abuelos de Tom habían sido buenos con él en todo lo que podían y su tradición de bollos los domingos y tomar un té en la tarde con la buena porcelana era algo que él y Helen habían hecho con sus propios hijos. Tom pensó en cómo sus abuelos solían escuchar los dramas de Tom que le parecían tan complicados a su cerebro infantil, y le ofrecían una sabiduría simple para guiarlo hacia adelante: hazlo bien con tu familia; "un centavo guardado es un centavo ganado; la verdad hace que los problemas desaparezcan."

No creía en todo eso todo el tiempo. El compromiso era la forma de vida de cualquier persona y había que equilibrar las cosas. La verdad de sus asuntos devastaría a Victoria y la verdad en la que se había metido ahora pondría en peligro su vida. Podía pensar en muchos casos en los que dos errores hicieron un bien en el mundo real, duro y fáctico. Su CO en Duntroon le había preguntado una vez si mataría a un niño.

"De ninguna manera", había respondido Tom.

"¿Qué pasaría si supieras que ese niño se convertiría en Hitler?"

Tom miró por la ventanilla , a las franjas de nubes, luego a la extensión azul del mar, salpicado de olas blancas.

A pesar de todo lo que había resuelto, Tom dijo: "Paul, tengo algo que decirte".

Paul levantó la mano para evitar que Tom siguiera hablando. "Lo sé todo, Tom."

54

Paul explicó que cuando la unidad especial Operaciones Encubiertas Zulu fue ideada por el hombre simplemente conocido como El Sastre, había reemplazado a la unidad Operaciones Azules, que se limitaba a la vigilancia terrorista, la insurgencia y la denuncia de posibles amenazas a ASIO.

Los agentes de Operaciones Azules tenían más poderes que la policía pero menos que ASIO. Sin embargo, la unidad estaba bien financiada por multinacionales, que tenían miles de millones de razones para mantener la sociedad en un flujo económico libre. Con el aumento del terrorismo en todo el mundo y el surgimiento del fundamentalismo, El Sastre, que solo respondía ante el gobernador general y el recién creado ministro de seguridad, había ideado una estrategia de doce puntos para garantizar que el terrorismo nunca llegara a las costas australianas. Operaciones Encubiertas era el punto cuatro.

Los hombres y mujeres de Operaciones Encubiertas nunca debían ser encubiertos. Necesitaban tener las credenciales para ser invitados al baile. Cuanto más mundana fuera la figura, mejor; cuanto más reconocible fuera el nombre y cuanto más público fuera el rostro, más acceso tendría esa persona dentro de los sistemas de seguridad, salas de juntas, embajadas. Políticos, estrellas de los medios, incluso un decatleta olímpico, fueron reclutados para Operaciones Encubiertas. Operaciones Encubiertas tenía un dicho: "tu hermana es una asesina fría". Significaba que el fantasma era la última persona en la habitación que esperarías.

Tom pensó en esa línea de su película favorita, La Encrucijada de Miller: "Nadie conoce a nadie, tan bien".

Paul continuó: "Todos los agentes de Operaciones Encubiertas tienen fallas".

"¿Mi defecto?" Tom preguntó nerviosamente.

"Ayer, Anna. El mes pasado, Natasha, el año pasado, Suzanne, el año anterior, Christine, antes que ella, Rebecca...

"Vlad es un proxeneta de cinco dólares que dirige un par de bares nudistas en el Cross, en Sydney", dijo Paul. Le gusta pensar que es de clase alta y sus hombres creen que están trabajando para una especie de zar criminal. No son las herramientas más afiladas del cobertizo; nada más que guardias de seguridad fallidos o malos luchadores de UFC con imitaciones de Glocks. Pero Operaciones Encubiertas descubrió que Vlad tiene una conexión menor, a través de lazos de sangre, con un jugador serio que, entre sus muchas empresas, maneja armas para los chechenos".

"Entonces, ¿dónde encajo yo?"

"Cuando Operaciones Encubiertas te investigaron un poco, encontraron a una... Natasha. Has estado en su radar desde el año pasado. Una computadora mostró tu nombre junto con otros dos que se graduaron de Duntroon en el mismo año."

"Fuiste un soldado honorable después de Afganistán. Tu trabajo voluntario potencialmente te brinda una gran cobertura y también has demostrado tu valía en el mundo de las finanzas y el fraude. Entonces, fuiste nombrado como una posibilidad para unirte al Grupo de Trabajo de Fraude Internacional del primer ministro como presidente. Hice de esa cita una formalidad ya que te conocía y confiaba en ti. No hizo falta mucho para persuadir al director de ASIO y al gobernador general de que eres de calidad Zulú".

55

"¿Y DE LAS MUJERES? ¿QUÉ TENÍA QUE DECIR EL GG AL respecto? Después de todo, es madre de tres hijos, además de feminista".

"GG es realista, Tom. ¡Ha visto más vida y tiene más muertos en su armario que cualquiera de nosotros! "

"¿En serio?"

"Amigo, cuando le mostramos una foto tuya y le informamos sobre tu historia, incluida la vida amorosa, ¿sabes lo que dijo?"

"¿Qué?"

"¡Que te lo haría ella misma si fuera veinte años más joven!"

Como un colegial, Tom sintió que se sonrojaba.

"Tom, el lugar donde pones tu pene es bastante irrelevante para la seguridad nacional por el momento. Sabemos que eres esencialmente un hombre de familia y con ScamTell, le demostraste al mundo que no podías ser comprado. ¿Cuánto te ofrecía ScamTell por quedarte callado? "

"Cinco millones."

"¡Jesús! Mira, necesitamos que entregues los diamantes. Necesitamos que te mantengas cara a cara con Vlad. Esperamos que las ganancias de las ventas pasen por cientos de manos, miles de bancos y quizás millones de cuentas. Pero si todos terminan con quienes pensamos que lo harán... bueno, digamos que tendremos a muchos Zulus sobre el hijo de puta. Sabemos que no son los diamantes lo que quiere el que está en la cima. Hay otra jugada, pero todavía no sabemos qué es".

56

Sabían que Vlad llamaría pronto, tan pronto como estableciera que Tom estaba limpio y solo. Por supuesto, Tom no lo estaba. Hace semanas, hombres que se hacían pasar por cualquier cosa, desde inspectores de plagas hasta vendedores de aislamientos, habían instalado equipos de vigilancia en su casa y en los áticos de las casas de los vecinos. Todo esto había ocurrido cuando Tom se encontró con Vlad por última vez.

"Verás, con sólo seguir con tu vida, Tom, ser voluntario, asistir a reuniones con el PM, convertirte en presidente del Grupo de Trabajo Internacional contra el Fraude y hacer el viaje a los EE. UU., seguirás suiras facilitando nuestros planes. Tu familia nunca estuvo en peligro y nunca lo estará. Demonios, incluso tenemos a Anna a salvo por el momento. Pensamos que podrían usarla en tu contra".

"¿Qué demonios... cómo?"

"¿Te parecían árabes esos dos tipos del bar en Washington, Tom?"

Paul le dio a Tom un teléfono intervenido con un dispositivo de rastreo y le prometió que si alguna vez pulsaba uno y usaba el teclado, habría doce agentes a su lado en menos de veinte segundos. Paul le aconsejó a Tom que hiciera sus llamadas habituales, revisara sus correos electrónicos y siguiera adelante con su vida. Tom solo necesitaba esperar la llamada, concertar la reunión, entregar el paquete y volver a su vida hasta que Paul lo volviera a llamar. Sencillo.

Paul ni siquiera pidió ver el paquete.

"No me importa si hay galletas en ese paquete. Solo queremos ver dónde caen las migajas, perdón por el horrible juego de palabras. La gente lo está esperando, el tipo de personas que nos interesan. Simplemente entrega el paquete, haremos el seguimiento y lo respaldaremos todo el día y toda la noche".

"¿Eres Fan de Kinks?"

"Del primer grupo".

Ambos hombres se rieron y Paul empezó a tararear Atardecer en Waterloo .

57

El aire era fresco y las nubes de lluvia parecían banderas hechas harapos. El sol tenía el color de una herida abierta. Sydney no tenía su mejor cara. En la pista, Tom se subió a su automóvil.

"¡Oye, Henry!"

"Oye, Tom."

"No estas impresionado con este clima, Henry."

"Más allá de mi control, compañero. ¿Directo a casa? ¿Y lo busco mañana?

"Sí, a casa, amigo. Mañana tendremos que tocar de oído. ¿Te vas a casa después de dejarme o te toca trabajar las veinticuatro horas del día?

"Siempre disponible, Tom, pero tengo descansos, a veces dos semanas seguidas, a veces meses".

"Debe ser duro para tu esposa".

"Solo cuando estoy en casa, Tom", dijo Henry, sonriendo.

Henry permaneció en silencio durante el resto del viaje. La lluvia empezó a caer. Condujo hasta la casa. Las luces estaban encendidas en todas las habitaciones y en el garaje. "¿Cuántas veces le he recordado a Vic el costo de la electricidad?", pensó Tom, y luego se reprendió a sí mismo. En el interior, Tom pudo escuchar a sus hijas cantando canciones de la versión animada de Madeline.

58

VIC PASÓ JUNTO A ÉL, CON UNA BOLETA DE GAS EN LA BOCA y una bolsa de ropa sucia en los brazos, el teléfono inalámbrico acurrucado entre el hombro y la oreja. Ella le guiñó un ojo y siguió hablando mientras sus hijas seguían cantando y bailando en el salón, ajenas a su entrada.

Vestida con su chándal de quehaceres domésticos que era rosa, de lino y gastado, caminaba descalza, dando instrucciones a la madre de Helen por teléfono.

"Manoula, es Google, no Gigle . Simplemente vaya a la pestaña "Buscar "y escriba "Lefkada". Sí, la costa oeste de Grecia".

Vic se unió a él en el banco de la cocina mientras revisaba su correo y le dio un beso en la mejilla. Ella olía a detergente para la ropa. Ella le dijo que Angelo y Sophia estaban en Melbourne visitando al hermano de Angelo, que estaba en el hospital con la cadera rota. Se había caído de una escalera mientras limpiaba los desagües.

Vic le contó a Tom cómo había continuado la vida en su ausencia. Había mantenido todas las cuentas abiertas bajo control, había escrito notas informativas sobre nuevos clientes y había atendido a las chicas durante varios días sin su ayuda habitual. Y había limpiado el coche de Tom después de las reparaciones y recogido su tintorería.

"Es bueno ver que estás bien. Oh, antes de que me olvide, acepté una prueba gratuita de seis meses para la televisión paga. La compañía de la tarjeta de crédito lo ofreció y ya está instalado. Podemos ver documentales juntos y las chicas tienen acceso al canal de Looney Tunes".

Tom dio las gracias y envió un mensaje de texto a la floristería para que le enviaran veinticuatro rosas en una hora. Siguió esperando que Vic le preguntara sobre Washington, el presidente, las cenas y especialmente la explosión, pero ella tenía la intención de relatar las historias recientes de todos sus parientes y amigos: a quien le expulsaron el hijo, quién consiguió un nuevo perro, el precio de venta de la casa en Mordecai Road.

Tom se imaginó a sí mismo como Ulises cuando regresó finalmente a su reino, lleno de historias de divinidades y aventuras, solo para tener que soportar los chismes del pueblo.

Sus hijas rebuscaron en su bolso para ver si les había comprado algún regalo de regreso a casa. Metió la mano en su bolso y sacó dos pequeñas botellas de champú de hotel, un gorro de ducha y una pastilla de jabón.

"Kits de La Reina Americana de la Belleza ", anunció tímidamente.

Las chicas desaparecieron en el baño riendo y discutiendo. Tom buscó más en su bolso y encontró un libro; no uno de su propiedad. Lo sacó, Obras seleccionadas de Anton Chejov ov. Lo abrió y encontró una inscripción.

¡Qué buen día hoy! No puedo elegir si beber té o colgarme: Chejov. Saludos, A.G.

Hojeó el libro y notó que las páginas habían sido arrancadas.

"No hay tiempo para comprar regalos, ¿eh, Tom?"

"No, lo siento", dijo Tom, sin hacer contacto visual.

“Supuse eso. Sabes, tenemos un bebé en camino. Vas a tener que estar más cerca. Y estar un poco más atento".

59

Vic siempre se mostraba indiferente cuando Tom regresaba de un viaje. No podía decidir si esta vez Vic sabía que le había sido infiel por intuición femenina o si su culpa estaba haciendo que malinterpretara su comportamiento.

Era habitual que ella estuviera algo preocupado, más interesado en enumerar todo lo que había hecho en su ausencia que en preguntarle sobre su viaje. Sospechaba que era porque, como todas las mujeres que había conocido, ella mantenía un diálogo con él cuando él estaba fuera, queriendo, o tal vez necesitando, alertarlo de todos los sucesos durante el día; intimidad construida a través de la rutina, como la mayoría de las relaciones.

Confianza y amor haciendo tic-tac en las diminutas manecillas del reloj de la vida compartida: lavar los platos del desayuno, los recados a la hora del almuerzo, la planificación de una boda o un fin de semana con cafés al final de la tarde, la botella de vino abierta a las seis de la tarde, la hora del baño, la hora de dormir , los cuerpos relajándose el uno con el otro a la medianoche en medio de una dulce charla y el simple consuelo de escucharse respirar.

En ocasiones, él se despertaba a las tres de la mañana y se

preguntaba quién era exactamente y quién era el dueño de la casa en la que dormía. O quién era el dueño de la cama en la que se despertaba. Lo descartaría todo como los sueños e inseguridades de un huérfano. Y si se despertaba y se encontraba deambulando por la casa cargado de adrenalina, todavía un misterio para él, algo desconcertado por las dos pequeñas caras dormidas iluminadas por la luz nocturna, se aventuraba a bajar al sótano para ejercitar en la bolsa de boxeo durante una hora, o salir a correr como si persiguiera su verdadero yo a través de la mañana suburbana, ¿no era esto de alguna manera sorprendente?

¿No se había despertado una noche, hace muchos años, para ver a un bombero derribando su puerta con un hacha y la habitación llenándose de humo? ¿No había escuchado a su hermano gritar de dolor, en contraste con el silencio de sus padres, o peor aún, su ausencia?¿No fue levantado y llevado a través de las llamas para encontrar a su hermano en el césped, quemado y herido pero tratando de levantarse de la camilla para perseguir a la ambulancia que desaparecía? Todos esos extraños, fantasmas en el humo. Y las vecinas llorando, los hombres sacudiendo la cabeza y dando la espalda a la escena para encontrar a sus propios hijos mirando asombrados mientras se derrumbaba el techo. Y esa noche, ¿el cielo mismo no estaba iluminado por la luz de las estrellas, no eran interminables esas sirenas?

Tom salió de su ensoñación cuando Vic colocó una ecografía en su regazo. “Hijo mío”, pensó para sí mismo.

Como si leyera su mente, el rostro de Vic se suavizó y le puso la palma de la mano en la mejilla. "Nuestro hijo", dijo.

"Papá, ¿nos seguirás queriendo cuando llegue el nuevo bebé?" Sophia, con los ojos muy abiertos, preguntó.

"¿Nuestra primera mamá conocerá al nuevo bebé?" preguntó Ángela.

Tom abrazó a sus hijas. "Por supuesto, todavía las amaré, nada me impedirá amarlas a las dos". No tenía palabras para responder su segunda pregunta, así que las besó a ambas. Volvió a mirar el ultrasonido .

Sonó el timbre y Tom se levantó para contestar. Abrió la puerta y encontró a Henry parado en su puerta sosteniendo una caja blanca llena de rosas rojas.

"¿Pluriempleo, Henry?"

"Nadie se acerca a su casa sin que sepamos quién, cuándo y por qué. Su esposa no puede pedir dos arroces fritos, la carne y frijoles negros sin que conozcamos el restaurante, probemos la comida y hagamos el despacho.

"Eso es muy reconfortante, Henry, pero en cierto modo mata el romance. Y el apetito... "

"Sí, pero es lo que es por ahora. Ah, y creo que asusté a su florista, perdón por el juego de palabras".

"Buenas noches, Henry".

"Buenas noches, Tom".

60

Las notas que Tom había tomado la noche de la Cena de Estado en Washington demostraron ser sorprendentemente coherentes y, después de una carrera de cinco kilómetros, pasó la mayor parte del día escribiendo un documento informativo para el primer ministro. Como toque final, Tom agregó un comentario en el margen de la página final: "las cosas se ven jodidas".

Lo eran , para la mayor parte del mundo de todos modos. Australia estaba bien por ahora debido a su riqueza mineral, pero ¿y si el mundo se derrumbara a su alrededor? Todo bailarín necesitaba un compañero.

El final cada vez más cercano del boom de China significaba que toda Europa iba a sufrir un golpe. Por lo que Tom podía prever, Europa estaba expuesta a disturbios civiles, colapso hipotecario y el fin de la infraestructura. Si tuviera una propiedad en Brasil o España, la vendería . Podía ver que se avecinaba una avalancha, pero no podía predecir exactamente cuándo ocurriría.

El teléfono de Tom empezó a sonar. Era la una de la mañana. Puso su bolígrafo en grabación y lo conectó a la toma de auriculares de su teléfono, luego respondió.

"Tom Stiles hablando".

"¡Mi amigo! Tienes mi paquete, ¿no?"

La pantalla de la computadora de Tom se iluminó tan pronto como Vlad habló. "Sólo Paul aquí, amigo", decía la pantalla.

"Sí, Vlad. Y tengo un saludo de Anna".

"Cálmate, amigo..."

"¡No me jodas, voluntario!" Vlad gritó.

"Está bien, Vlad. No te estoy jodiendo. Sí, tengo el paquete para ti".

"Esto es bueno. Bueno. ¡Bien, seguimos siendo amigos! Nos encontramos mañana. Nos reunimos a las cuatro y media, en el mismo hotel".

"Sí, Vlad. Me reuniré contigo mañana en el Four Seasons y llevaré el paquete""Bien. Es bueno. Pero no me jodas. Esta es una primera y última advertencia", gruñó.

"En realidad, esta es la quinta".

"¿Quinta qué?"

"La quinta advertencia".

¡¡¡Qué carajo!!!! Tom, cállate.

"Te coges a mis hijas veinte veces, ¿sí, voluntario? Primero una hija, ahora muerta, luego otra hija, ahora desaparecida, desaparecida, como una bocanada de humo. ¿Eres voluntario o mago? ¿Haces desaparecer a mis hijas?"

"Cuelga, Tom".

"Al igual que las cuatro estaciones, lo que se da, se vuelve, supongo, Vlad".

"Hay un dicho que leí, Voluntario, creo que es australiano. Es el título de un libro, pero el libro no fue escrito por quien dice que fue escrito, como si tú no fueras quien dices ser, ¿eh? El dicho es "la vida es como es". ¿Lo conoces, Stiles? ¿Has leído el libro?"

"Cuelga, Tom".

"Creo que te refieres a 'así es la vida', pero no es gran

cosa... y no, nunca he leído el libro, me gusta el libro la escasez de Chejov, ¿lo leíste ?"

¿Es este un jodido grupo de lectura?

"No leo a los campesinos rusos. Mañana Four Seasons. No me jodas".

"Seis", dijo Tom y colgó.

"Eres un idiota, Tom."

Tom escribió su respuesta: "la vida es como es."

61

El hombre que excavaba en la parte inferior del poste telefónico era un agente. Sí, vestía uniforme del consejo, pero no tenía idea de cómo usar la pala. La casa al otro lado de la calle ahora tenía un letrero de "Se alquila ". Pertenecía al vecino anciano de Tom, que a los setenta y dos años no iba a ninguna parte. Un equipo de vigilancia había instalado equipos allí. Cada treinta minutos pasaba una furgoneta de donuts. Cada quince minutos pasaba un fontanero. Como siempre, la camioneta del alguacil de la corte local hacía viajes regulares por la calle. Todo estaba en su lugar.

Su enfoque inmediato fue llegar a la reunión, entregar el paquete y seguir adelante con su vida. Luego tuvo que dejar todos los asuntos atrás y tomar todos sus recuerdos de Helen, sus padres y su hermano y ponerlos en un lugar seguro donde el dolor que los rodeaba pudiera ser contenido. Viviría una vida pequeña y dulce con su Victoria y tres hijos, sí, pronto tres hijos. Tal vez podría beber menos, dejar de fumar cigarrillos nostálgicos y hacer algo de yoga y meditación. Quizás eso le ayudaría a perder algo de tensión en su cuerpo.

A la hora del almuerzo, las chicas pidieron ir al centro comercial local para comprar algunos de sus helados favoritos.

Tom pensó que sería bueno pasar un tiempo con ellas después de estar fuera. La lluvia cayó a cántaros durante todo el camino y, a medida que se acercaban al centro comercial, un mar de luces rojas inmóviles se extendió por delante en la penumbra.

Tom decidió evitar el Estacionamiento y estacionó en la calle. Las chicas tomaron las manos de Vic y Tom mientras caminaban hacia el Gelatissimo de Pepe, el único lugar en Sydney que tenía conos recubiertos de doble chocolate.

Vic y Tom eligieron helado Rocky Road con salsa de chocolate y las chicas eligieron su favorito: helado arcoíris, espolvoreado con Smarties. Luego exigieron un paseo en el trencito dentro del centro comercial, con la forma de un gran auto rojo de los Wiggles y, aunque Tom despreciaba a los Wiggles, cedió.

Mientras paseaban, una chica vestida como Alicia en el país de las maravillas les entregó globos y Tom se sobresaltó cuando un grito ensordecedor vino de Angela. La cuerda del globo se deslizó de su muñeca regordeta y su globo se elevó a la deriva. Alicia se acercó con otro globo.

Angela soltó un gemido y exigió: "Necesito otro viaje, papá, porque perdí mi globo".

Tom lo estaba pasando bien. Se preguntó si quizás les daba demasiado o cedía demasiado rápido. Aun así, puso otra moneda en la ranura y los malditos Wiggles empezaron a cantar de nuevo.

"La vida con los niños, Tom", dijo Vic como si leyera la mente. "Sólo déjate llevar. Seguiré adelante con Sophy mientras se desarrolla el viaje de Angela".

Entonces, Los Wiggles siguieron cantando.

Cuando Tom salió a la calle, consciente de su hija y su globo, vio su Victoria en los brazos de un hombre con un sombrero Akubra.

62

Tom agarró a Angela de un brazo y corrió hacia Vic.

"¿Qué diablos está pasando?" el gritó .

El hombre del Akubra levantó las palmas de las manos hacia afuera como si se rindiera.

Vic estaba sollozando. "¡No sé! ¡No sé!"

"Tom, ella estaba asustada", dijo el hombre.

"¿Quién carajo eres tú? ¿Y qué le has hecho?"

El hombre no dijo nada. Simplemente retrocedió dos pasos.

"Tom, ella estaba parada a mi lado. Ella estaba aquí", señaló Vic a un espacio vacío, " y de repente, ¡estaba gritando! Miré a mi alrededor y vi que se la llevaba un hombre de traje negro, y yo... no pude ver su rostro. ¡Tom, todo lo que pude ver fue la espalda del tipo! Y luego este hombre apareció de la nada. Él me la trajo de vuelta, Tom."

Tom se agachó frente a su hija menor. "Sophia, cariño, ¿estás bien?"

"Tengo miedo, papá".

"Tom...", dijo Vic.

"Vic, ¿estás bien?"

"Tom, mira, míralo a él, el hombre que nos ayudó".

"No puedo agradecerle lo suficiente por salvar a mi hija", dijo Tom. "¿Dónde está el degenerado ahora?"

"Conduciendo alrededor con tres costillas rotas, la nariz rota y un testigo de identificación clave en la espalda".

"Oh, Dios, gracias".

El hombre levantó el ala de su sombrero y dijo: "Nosotros nos ocupamos de los nuestros, Tom".

Miró el rostro del hombre y su mente comenzó a descargar información. Vio una foto borrosa de este mismo hombre corriendo y otra del café que acababa de ser destruido. Vio a una anciana y vio la imagen de un hombre con traje negro, un hombre al que nunca había visto realmente, llevándose a su hija. Una vez más, vio al hombre que ahora estaba parado frente a él sosteniendo a su esposa. Luego vio a un niño tendido en el jardín delantero de una casa en llamas.

"No puedes ser..." Hizo una pausa, sin palabras. "Eres mi hermano. Eres Terry".

La mente de Tom Stiles pasó a pantalla azul... sin que nadie escribiera mensajes.

63

Tom y Terry se sentaron uno frente al otro en la mesa de la cocina, con una botella de whisky entre ellos. Se quedaron sin habla, tal como habían estado todo el camino a casa.

"Después de que ambos nos recuperamos de nuestras quemaduras leves en el hospital, nuestros abuelos no pudieron llevarnos a los dos y yo fui adoptado porque era era l mayor. Me mudé de casa en casa, siempre siendo objeto de atención, siempre tratando de meterme en problemas."

"Cuando tenía dieciocho años, el estado me liberó por primera vez. Estaba tan enojado, ensimismado. Siempre supe que podría encontrarte si quería, pero mi ira era demasiado profunda. Y no quería contagiarte, dañarte con eso."

"Han pasado cinco años desde que finalmente tuve el valor de encontrarte. Pero luego murió Helen y supuse que necesitabas tiempo. No he tenido las agallas para acercarme a ti. Solo pensé, ¿por qué ensuciar su vida? Hazte el muerto por su bien, Gerónimo, ¿te acuerdas?"

"Lo recuerdo", dijo Tom.

"Siempre sentí que, como tu hermano mayor, debería haberte protegido y tú me odiarías porque no lo hice. Entonces, encontré un trabajo en el área de tu vecindario trabajando en los tribunales locales como oficial del alguacil para poder mantenerlos informados a ti y a tu familia. Aunque fue difícil no hablar contigo, supongo que para mí era importante verte con regularidad. No pude protegerte cuando éramos niños, así que cuando te encontré de nuevo, hice que mi prioridad fuera mantenerlos a todos a salvo".

La historia de Terry flotó por la habitación.

Vic se unió a ellos, sentándose junto a Tom, con la cabeza en su hombro. "Dios mío, ustedes dos se parecen".

"¿Así que fuiste tú quien salvó a Vic en el café?" Preguntó Tom.

"Sí."

"¿Cómo sabías que iba a pasar?" Preguntó Vic.

"Fue una corazonada. Las cosas habían estado sucediendo en ese café durante meses, reuniones extrañas, devoluciones, pero de ninguna manera pensé que sería una anciana perdiendo el control de su automóvil".

Aparte de las bolsitas debajo de los ojos de Terry y el cabello gris claro salpicando los cabellos oscuros, era una imagen idéntica de Tom. Tenían la misma altura y constitución física similar, aunque Tom tenía un cuerpo más musculoso debido a su entrenamiento con pesas y sus carreras matutinas. Sus ojos eran casi del mismo color, los de Terry eran de un azul más intenso. "Dios mío. Tengo a mi hermano de vuelta".

Miró a Vic con incredulidad y vio lágrimas corriendo por su rostro.

"Mi hermano." Se acercó y abrazó a Terry. Se abrazaron durante mucho tiempo. Tom se sintió sin aliento, en algún lugar entre el dolor por todos los años perdidos y la alegría por su futuro juntos.

¿Qué hay de tu propia familia, Terry? ¿Estás casado?" Preguntó Vic.

"Una vez lo estuve, sí", respondió Terry. "No tuvimos hijos

y no duró mucho. Estaba bebiendo en ese entonces. Estaba en la fuerza, pero no era una buena persona. Perdí mi trabajo y ella finalmente se divorció de mí".

"¿Cuánto tiempo estuviste casado?"

"Cuatro años, pero terminó en el segundo, simplemente no tuvo el valor para dejarme antes. Y cuando finalmente lo hizo, fue cuando mi consumo de alcohol alcanzó su punto máximo y, después de diecinueve años en la fuerza, perdí mi trabajo por eso. Luego toqué fondo, hasta que un día me desperté en un centro de rehabilitación sin saber cómo había llegado allí."

"Me tomó seis meses componerme y, por primera vez en mucho tiempo, comencé a pensar con claridad. Sabía que era demasiado tarde para mi matrimonio y mi carrera, pero estaba vivo y finalmente tenía la cabeza despejada. Me di cuenta de que quería, más que nada, encontrar a Tom. Se convirtió en mi objetivo y me mantuvo concentrado y alejado de la bebida. Acepté este trabajo para estar cerca de ti y no he bebido nada desde entonces. Eso fue hace cinco años."

Vic le preguntó sobre su trabajo y él explicó que su función como oficial del alguacil era similar a la de un oficial de policía, pero sin plenos poderes policiales. Dijo que desempeñaba deberes generales de aplicación de la ley dentro del sistema judicial local y que podía servir y ejecutar órdenes judiciales y desempeñar las funciones de cumplimiento del sistema de jurados.

"Pero déjenme preguntarles algo ahora", dijo Terry.

"Por supuesto", dijo Tom.

"¿Por qué alguien intentaría secuestrar a Sophia?"

Tom y Vic parecían haber sido abofeteados. En la emoción de encontrar a Terry, habían olvidado que casi habían perdido a su hija.

"Vlad", pensó Tom. Comprobó la hora. Eran las tres y media.

64

Tom abrió la puerta cuando el timbre sonó por segunda vez, y se sorprendió al ver a Paul, flanqueado por oficiales de policía y lo que parecía ser otros dos detectives vestidos de civil detrás de él.

"Paul, ¿qué carajo acaba de pasar? ¿Vlad ha recibido información?"

"Vine tan pronto como me enteré. Y no tengo idea de quién estás hablando, Tom"dijo Paul, con la frente arrugada y ojos severos. Luego instó a los oficiales a entrar y sacó a Tom por la puerta.

"Tranquilo, muchacho", dijo Paul. "Mantén tu lengua bajo control. Esos policías creen que estoy aquí por tu condición de agregado y que lo que pasó es por tu nuevo perfil. La policía tomará declaraciones y se archivará e investigará como es habitual en el nivel uno. Pero odio decirte esto, sospechamos que este es el nivel cinco."

"No tengo tiempo para los códigos, Paul. ¿Quién intentó llevarse a mi hija?"

"Estábamos allí cuando sucedió, Tom, y atrapamos al tipo. Cuando todo empezó, estábamos a punto de movernos cuando intervino tu hermano. Retrocedimos y luego perseguimos el automóvil mientras intentaba escapar. Por cierto, ¿dónde aprendió tu hermano a golpear así? De todos modos, el perpetrador ha sido detenido".

"¿Quién es él?"

"Es solo un trotador. Es demasiado inteligente para hablar y demasiado tonto para tener mucha información útil, pero Operaciones Azules sabe para quién trabaja".

"¿Para quién trabaja ?"

"Necesitas mantener tu reunión. Te pondré al tanto en el camino".

"Está bien, se lo haré saber a Vic. Ella está a salvo ahora, ¿verdad?"

"Sí, la policía no se retirará hasta que regresemos. Vamos, Tom. Agarra el paquete y vámonos. Tengo una historia para ti, pero en el automóvil."

"Paul, acabo de encontrar a mi hermano, ¿no podemos retrasar esto?"

"No, el tiempo es más importante ahora que nunca. Lo siento, amigo, pero la policía se hará cargo de tu familia hasta que volvamos. El tiempo apremia".

Tanto Vic como Terry lo animaron a acudir a su cita. Prometió que volvería pronto.

65

Paul se sentó al frente con Henry. La rabia de Tom hervía a fuego lento. No confiaba en sí mismo. Iba a arrancarle la cara a Vlad. Iba a romperle la tráquea, luego la nariz. Luego le iba a arrancar los dos ojos.

Si Paul pensaba que Terry podía golpear, espera hasta que viera a Tom desarmar a ese maldito chulo cobarde. No quedaría nada de él en los tres minutos que tardarían los agentes en llegar.

Ni Paul ni Henry hablaron. Henry conducía como si fuera a la biblioteca. Incluso se detuvo en los semáforos en rojo y en los pasos de peatones. De vez en cuando, Paul miró a Tom.

"Entonces, Paul, ¿cuál es la historia que me ibas a contar?" Dijo Tom.

"Estoy esperando, amigo".

"¿Esperando qué?"

"Ese bolígrafo que te di controla tu presión arterial y tu frecuencia cardíaca. Necesito que bajen los latidos del corazón en reposo de cincuenta y seis latidos por minuto, lo cual es muy impresionante por cierto, y que baje la presión arterial. ¡No puedo decir quién está más estresado, tú o Henry teniendo que conducir como un ciudadano!

"Necesito que te concentres en un juego de ajedrez, no en una pelea callejera. Esta es una interacción civil. El barman te traerá una bebida y tú la beberás. Luego pides otra. No veras a Vlad. Las cosas se han intensificado. Entonces, enfunda tu arma. Entregas el paquete y sales de allí. Ahora más que nunca necesitamos que esto se bloquee en su lugar."

"¿Qué está pasando, Paul? ¿Qué ha escalado? ¿Por qué Sophia?"

"Henry, deténte aquí y ve a comprar el reloj de mujer más caro que puedas encontrar en ese joyero. Sólo diles que le facturen al Sr. Doehunter. Y asegúrate de que la caja tenga incrustaciones de diamantes".

"Sí, señor", dijo Henry y se fue. Cerró las puertas del coche.

"Tom, parece que Vlad realmente amaba a sus hijas. No lo vimos venir. Ha estado intentando ponerse en contacto con Anna día y noche. Pensábamos que solo quería enviarla a que tuviera sexo con algún otro activo, pero los dejamos hablar con él de todos modos y el pobre bastardo estaba llorando. Pensaba que traicionaste a Anna, conseguiste secuestrarla y, después de recibir su paquete, iba a intentar cambiar a tu hija por la suya".

"Lo mataré. Debes permitirme matarlo".

"¿Y arruinar su estúpido plan? La policía lo habría encontrado en quince minutos. Iba a usar su Mercedes negro con matrículas Vlad 00 para el secuestro. Idiota. El grandísimo tonto le dijo todo esto a Anna. ¿Sabes que ella lo llama Pa? ¡Es gracioso, como en la serie de tv La casita en "La jodida" pradera! "

"Entonces, ¿por qué no detuviste todo esto antes de que comenzara? ¿Por qué arriesgar a mi pequeña?"

"Eso es lo que quiero decir con escalada. No fue Vlad; su Mercedes estaba todavía a tres kilómetros de distancia cuando ocurrió el intento de secuestro. El arquitecto de todo esto quiere conocerte. Se planeó que el secuestro fallido fracasara.

Hemos estado mirando, escuchando; creemos que finalmente logramos que muestre su rostro".

"¿OMS?"

Se abrió la puerta del conductor y Henry le entregó la caja del reloj y un cuchillo Bowie en un arnés que se abrochaba alrededor de los hombros.

"Estás a punto de conocerlo, amigo. Y ahora mismo, cuanto menos sepas, mejor".

66

El camarero trajo la bebida. Vlad no estaba a la vista, como Paul había predicho. La ira de Tom había reducido sus habilidades de observación. No pudo identificar quiénes eran los jugadores en el bar. Todos parecían culpables e inocentes al mismo tiempo.

"Concéntrate", Tom, pensó, "esto ya no es hora de aficionados en el hotel Hillbilly". Podría haber problemas acechando con una falda ajustada o un traje barato. Los verdaderos criminales dejan a un lado sus vanidades. La chica que coqueteaba con el conserje parecía una escolta. El conserje era nuevo, pero era un anciano con ademanes italianos; asegurado. Paul había puesto al camarero en ese lugar, lo sabía. Pero el tipo de piel oscura con una barba tipo candado y una capa, que estaba comiendo un escalope, ¿era un asesino o un publicista? Y el joven que sostenía una bolsa llena de DVD de JB Hi-Fi, ¿era un turista o un terrorista?

"Concéntrate, por el amor de Dios". Tenía ganas de darse una bofetada en la cara. En cambio, tomó su bebida y pidió otra.

Un anciano que sostenía un ejemplar de Paris Match, con Brigitte Bardot en la portada, se acercó cojeando, se apoyó en su bastón y se sentó directamente frente a él. Una vez que estuvo sentado, abrió su revista y comenzó a leer. El camarero le trajo un café y el hombre le dio diez dólares de propina. ¿Por qué no hay camareros? "Deja de ser paranoico", se reprendió. El lugar no está lleno. No necesitan personal para las horas de menor actividad. "Deja el paquete y vete", se recordó a sí mismo.

El hombre que tenía enfrente tenía al menos setenta años y era esbelto. "Quizás todavía camina todos los días y vigila su dieta", pensó Tom. Quizás era un antiguo profesor universitario aquí para una conferencia en la Universidad de Sydney. Tenía mechones de pelo blanco entre las zonas calvas, por lo que se veía algo enfermo, como si tuviera leucemia. Sin embargo, Tom reconoció su condición como alopecia, una condición de estrés que afecta el cuero cabelludo y nada más. Sus hombros eran anchos debajo de su traje.

El hombre dejó la revista y miró a Tom con ojos nublados que parecían haber visto el mundo en su peor momento y se apiadó de él.

"Lo siento profundamente. Debería haber preguntado si este asiento estaba ocupado, me disculpo. Si quieres que me vaya..."

"Está bien puedes quedarte hasta que llegue mi invitado. Estoy esperando a alguien, pero parece que llega tarde".

"Ah, una mujer, lo veo por los dos paquetes. Un reloj de mujer y algo más, tal vez... Mirándote, amigo mío, con tu precioso traje y déjame adivinar, unos zapatos brogue a medida de ochocientos dólares hechos, creo, por el zapatero artesano que reside en Paddington, déjame adivinar lo que contiene el paquete".

"¡Ahí es exactamente donde compré mis zapatos! Y a ese precio. Tienes un ojo maravilloso, amigo mío".

"Ojo bien entrenado, tal vez. No soy un hombre rico, pero en realidad solo los pobres pueden apreciar las cosas buenas, ¿no te parece? Los ricos están rodeados de tantas galas. Dale a una lavandera una peluca de crin y la atesorará más que una princesa con un establo de pura sangre".

"Pareces estar bien, amigo mío. Esa revista es sin duda un artículo de colección. La portada dice 1964. Tu traje está hecho de cachemira y la elegante cabeza de tu bastón me parece plateada".

"Sí, tienes razón, bien hecho. Poseo una o dos cosas valiosas que aprecio y nunca descuido. Si me permito una vanidad, es que cuido y aprecio todo lo que me pertenece. Soy coleccionista de oficio pero especializado en heráldica. Un arte perdido; heráldica y su historia. Pero entonces soy un anticuado. Sigo creyendo que un hombre puede definirse por si se lustra los zapatos o no. Pero codicio poco de lo que poseen los demás. Hace el mundo más simple, ¿no estás de acuerdo? "

"Sí, el deseo nos lleva a todos por mal camino".

Tom se sintió abrumado por la sensación de haber entrado en el confesionario. Pidió otra bebida, el camarero se la trajo y el anciano volvió a darle propina, haciendo un gesto de protesta.

Tom preguntó si el hombre podía acompañarlo y estuvo de acuerdo. Tom se sintió mareado, sofocado. El anciano parecía paternal, dispuesto a escuchar. Tom sintió ganas de detenerlo todo por un momento, toda su vida, todo su ser, solo para sentarse y hablar con este hombre y decirle a este extraño que había llegado a este punto estúpidamente pero sin saberlo. Quizás el viejo profesor era un consejero, quizás tenía algo de sabiduría en esos ojos misericordiosos.

Entonces Tom se obligó a sí mismo a acelerar su mente. Miró arriba y abajo de la barra para ver si había llegado el nuevo contacto, pero nadie le llamó la atención ni se le acercó. La adrenalina abandonó su cuerpo. "Estoy en modo civil, está bien", repetía dentro de su cabeza.

Eran las tres cuarenta y cinco y si la entrega se hubiera pospuesto, Paul habría enviado un mensaje de texto.

Cuando le entregó la bebida al anciano, Tom pensó que el camarero parecía nervioso, pero no confiaba en su mente. La conmoción de casi perder a su hija lo había abrumado. Esto era personal. Luego, encontrar a su hermano en el mismo momento. Luchaba por encontrar el patrón de nuevo. Luchando por ver el panorama más amplio. Las personas no son números, no actúan de manera predecible. Con las personas, no hay certezas, no hay valores establecidos.

"Pareces preocupado, amigo mío. ¿Es esta una primera cita? ¿Es ella muy hermosa?"

"No, no." Tom sonrió. "Ha sido un día ajetreado y me gustaría irme a casa".

"Por supuesto. La vida puede volverse tan caótica a veces".

"¿Cuál es tu nombre, por cierto?"

"Cerberus, solo Cerberus, sin apellido, Sr. Stiles".

"Tom, está bien. Cerbero, ya veo, la punta de tu bastón tiene tres cabezas de perro, mostrando los dientes. Cerberus custodiaba las puertas del infierno si mal no recuerdo".

"Un hombre de cultura. Estás en lo correcto. Algunos dicen que todavía lo hace. Conoces la mitología. Debes haber pasado mucho tiempo en bibliotecas. ¿Recuerdas la figura de la Hidra?

"La serpiente de muchas cabezas, corta una cabeza y aparecen dos, de la palabra griega agua, creo".

"Si, muy bien. El mundo y sus problemas pueden ser así, Tom, mata un problema, aparecen dos en su lugar".

"¿Nos hemos visto antes? Sabes mi nombre."

"Eres una figura mundial, Tom, estás en todos los periódicos. ¿Quizás algún día en la portada de Paris Match? No, no nos hemos conocido. Me muevo en círculos mucho más bajos. Ciertamente, mis asociados no son de ningún renombre conocido".

"Ibas a adivinar qué hay en el paquete. ¿Te importaría intentarlo?"

“Una muestra de amor, sin duda. Si adivino correctamente, ¿me lo darás?”

"Me temo que no puedo hacer eso, pero créeme , felizmente lo entregaría y regresaría a mi familia".

"¿Una familia? ¿Y aquí estás esperando tu hermosa cita? Me sorprende, Tom, un hombre en tu posición. Sí, leí que tenías dos hijas, una pareja, un hermano, tus padres murieron en un incendio en la casa".

"Parece que sabes mucho sobre mí".

“Justo lo que está escrito en los periódicos. Después de todo, los terroristas chechenos no son desarmados todos los días en la Casa Blanca. Fue noticia mundial".

“He sido un tonto”, pensó Tom para sí mismo, como si acabara de despertar del sofá de un hipnotizador. “Todo este tiempo he estado esperando a que llegue mi oponente mientras ya ha jugado cuatro movimientos.”

67

En una partida de ajedrez, hay un momento en el que tu oponente se da cuenta de que has decodificado la estrategia que estaba empleando. Lo ven en un parpadeo, una media sonrisa, o el indicio más obvio de todos, una mirada de lado a la distancia media. El oponente siente algo cercano a la molestia, como si no quisiera desperdiciar su plan B superior en ti y continuar desmantelando tu defensa, peón, torre y rey. Cerberus vio a Tom mirar a un lado y decidió hacer un chequeo.

"SeñorStiles, tu próxima pregunta para mí será cómo sé que tienes un hermano cuando recién lo has descubierto tú mismo. Te quejarás como un niño pequeño acerca de que esto no está en los documentos, etc., mientras tu amigo el idiota Sr. Henderson, se sienta escuchando."

"Esto se está volviendo aburrido. ¿No te graduaste de Duntroon con la Medalla de la Reina? ¿No te enseñaron Maquiavelo y los errores de los generales? Entrega el paquete y creo que el reloj es un regalo del director para mi esposa."

"Cerberus es mi verdadero nombre. Verás, cuido el inframundo y trabajo para el diablo. Ahora, Sr. Stiles, los he puesto al día a usted y al Sr. Henderson y desearía no tener nada más que ver con ustedes, pero, lamentablemente, no será así. Te digo adiós por este momento. En algún momento en el futuro, imagino que tendré que matarte porque el diablo era el dueño de un negocio de tapices que arruinaste, pero por ahora, puedes vivir."

"Ah, y una última cosa, en el mundo en el que me muevo, mi superior no necesita escuchar mis conversaciones o que me graben tirándome a una hermosa mujer. No, eso es para niños. Mi superior simplemente sabe qué haré lo que él ha querido que haga. Buenos días."

Sin decir palabra, Tom le entregó el paquete, sintiéndose tan pequeño como un colegial que acababa de ser avergonzado por su maestro frente a toda la clase. Cerberus tomó el paquete y salió del bar.

68

Como en un sueño, Tom salió del bar y se sumergió en la lluvia gris de Sydney. "Ya se acabó", pensó mientras caminaba, "tienen lo que quieren".

Se imaginó pasando la noche con Terry. Podía desahogarse y contarle todo a Terry.

"La he deshonrado a ella y a mí mismo y estoy totalmente avergonzado. No quiero perderla a ella ni a mis chicas. Haré cualquier cosa para asegurarme de no perder a mi familia".

"¿Todavía amas a Vic?" Terry respondería.

"¡Sí, con todo mi corazón!"

"Bien. Mira, perdí a mi esposa y mi trabajo debido a mi forma de estar absorto en mí mismo. Tienes que preguntarte si vas a engañarla de nuevo. ¿No es eso lo que te metió en todos los problemas con este tipo Vlad? "

Tom se sintió aliviado con solo pensarlo. Había toda una vida para ponerse al día. Esperaba que el sótano todavía estuviera bien abastecido.

Henry se subió a la acera junto a él. Al entrar en el coche, Tom vio en el rostro de Paul que las próximas horas no las llenaría de nostalgia ni las pasaría con Terry recuperando el tiempo perdido. Tampoco era el momento de las confesiones.

"Henry, tenemos que llegar a la casa de Tom en sesenta segundos ".

Paul comenzó a enviar mensajes de texto como loco en un teléfono mientras hablaba en otro.

"Tres, no cuatro, y quiero siete unidades; el suburbio se convertirá en Armageddon ".

"Paul, ¿de qué suburbio estás hablando?"

"Tom, necesito que me dejes manejar esto solo por dos más..."

La guantera empezó a sonar.

"Oh, mierda", dijo Henry.

"Oh, no me jodas", dijo Paul.

Paul se volvió hacia Tom y articuló las palabras: "No digas nada". Abrió la guantera y sacó un tercer teléfono.

"Sí, Director".

Paul pareció encogerse en su asiento. Colgó y se volvió hacia Tom con lágrimas en los ojos. Henry atravesó los parques casi golpeando a dos personas que paseaban a sus perros y Dios sabe cuántos patos.

Llegaron a la calle de Tom. Había policías por todas partes. Agentes con trajes oscuros. Los francotiradores se colocaron en cada techo.

"Paul, ¿qué diablos está pasando? ¿Por qué esos francotiradores apuntan a mi casa? "

69

Un detective vestido de civil corrió hacia la ventanilla del coche mientras reducía la velocidad.

"Señor", le dijo a Paul. "Los francotiradores no pueden hacer un tiro limpio. Todavía no hemos escuchado disparos. Recibimos un mensaje de texto anónimo hace tres minutos diciéndonos que nos desarmemos y retrocedamos".

Fue entonces cuando el detective notó a Tom.

"Solo por curiosidad, solo para mi propia jodida tranquilidad, ¿puedes decirme cómo pasaron de los veinte oficiales y entraron en la casa?" gritó Paul.

"Tenían los papeles correctos, con su firma, señor, todos los formularios verdes y duplicados. Habían estado en la casa antes. Son del canal de cable. La esposa de Tom también respondió por ellos".

"Cerbero. Mierda."

"Pero él tiene los diamantes", dijo Tom.

"No, Tom, resulta que no le dimos los diamantes. El Sastre llamó. Liberamos a Anna después de que hiciste la entrega y ahora es invisible. Parece que traicionó a Vlad, pero nunca traicionaría a Cerberus."

"No sabemos quién tiene los diamantes, pero Vlad cree

que tú los tienes. Cerberus no los querrá ahora, pero conoce nuestras operaciones por completo. Parece que tenemos termitas. Y no te dejará escapar impune".

"¿Impune? Paul, escúchame, hay hombres en esa casa con Vic, mis hijos y mi hermano de rehenes por diamantes que parece que nunca tuve. No me importa si están trabajando para un jefe de la mafia o un zar de la mafia, de cualquier manera, las cosas no se ven bonitas. ¿Qué coño quieren de mí?"

"Quieren que entres solo, pero eso no puede suceder", dijo el detective, leyendo un nuevo mensaje de texto en su teléfono.

70

TOM SALTÓ DEL AUTO Y CORRIÓ HACIA LA PUERTA PRINCIPAL de su casa. Ni Paul ni Henry reaccionaron lo suficientemente rápido como para detenerlo. Algunos de los oficiales lo detuvieron y le apuntaron mientras corría, pero luego se dieron cuenta de quién era.

La puerta principal se abrió y un silenciador le indicó que entrara. La puerta se cerró detrás de él. Le clavaron un arma en la espalda y lo empujaron hacia adelante. Había una salpicadura de sangre en la alfombra. Tom sintió que se le doblaban las rodillas. En algún lugar de la casa sonaban canciones infantiles. En la pantalla de televisión, Brittany Spears cantaba Igual que un Circo.

Solo hay dos tipos de chicos por ahí.
Los que pueden estar conmigo y los que tienen miedo.
Entonces, querido , espero que hayas venido preparado.
Dirijo un barco estrecho, así que ten cuidado.

“Haré todo lo que me pidas. Te lo ruego, no hagas daño a mi familia".

"Cállate la maldita boca".

"¿Dime que quieres?"

"Cállate o te mataremos último, después de que veas como disparamos a tu familia entre los ojos, uno por uno".

"Están vivos", pensó Tom.

Condujo a Tom a través de la cocina donde yacían los cuerpos de los dos policías, con una bala en cada uno de sus ojos. "Igual que Bell", pensó Tom.

El hombre acompañó a Tom a la sala de estar donde su esposa estaba esposada a sus dos hijas. Estaban de rodillas y amordazadas . Una trinidad cautiva. Vic estaba sangrando por la boca y la nariz. Sus ojos decían: "Sálvanos."

Terry yacía postrado en el suelo; con una pistola, supuso Tom. El hombre hizo un gesto con su arma para que Tom se arrodillara también.

"Manos detrás de la cabeza".

Un segundo hombre con un mono blanco con el logo de un zorro en el bolsillo sostenía una pistola directamente en el pequeño pecho de Angela con una mano, mientras agarraba el brazo libre de Sophia con la otra. El hombre detrás de Tom lo empujó al suelo y apuntó su arma a la sien de Tom.

"No tengo los diamantes", dijo Tom.

"Ya no los queremos. Insultó a Cerberus, no una sino dos veces."

"Nunca lo había conocido antes de hoy", dijo Tom.

"¿Quién crees que estaba detrás del checheno que desarmaste en Washington? Cerberus tardó doce años en llevar al diplomático a esa habitación y tú destruiste su plan y luego tuviste el coraje para darle baratijas en lugar de sus diamantes. ¿Crees que puedes volver con nuestro jefe y decirle que has fallado? Nunca debiste haberle dicho que no a ScamTell. Te estaban ofreciendo una vida en libertad".

"¿Qué diablos tiene que ver ScamTell con esto?"

"¿Para quién crees que ScamTell es una fachada? De todos modos, ya he dicho suficiente".

"Entonces dime qué quieres de mí. O mátame, no me importa, deja ir a mi familia".

"Estamos esperando instrucciones".

"¿Por qué matar a los oficiales? No tuvieron nada que ver con esto".

"Estaban en el camino".

"¿Matar es tan fácil para ti?"

"No conoces a nuestro jefe. Matamos o nos matan ", dijo el hombre al lado de Tom.

"Cerberus es un anciano".

"Cerberus es el perro del diablo".

"Dime lo que quiere. Tengo dinero, tengo conexiones. Todo lo que quiero es que mi familia esté a salvo. Son inocentes en todo esto".

"No queremos matarte. Aún. Tu familia está en una guerra, como todas las personas del mundo están en una guerra y se avecina una más grande. La inocencia no salva a nadie en una guerra. El mundo tiene que saber quién es... "

"¿Él?"

"El leopardo. Pregúntale a tu amigo Henderson. Lo conoce muy bien".

El teléfono del secuestrador sonó. Leyó el mensaje.

"Esa puta, Anna Goesoff te dio un libro en Washington. Algo para recordarla, supongo".

Tom miró a Vic y luego se alejó. Vic comenzó a llorar. Uno de los secuestradores se rió.

"Está en el cajón de mi escritorio. Debajo de algunas facturas y carpetas. Envuelto en papel marrón".

71

El hombre con la pistola apuntando a la cabeza de Tom salió de la habitación. Tom vislumbró sus rasgos definitorios por primera vez: una larga barba roja, cabello rojo y pestañas espesas. El otro hombre era más alto con cabello negro, hombros fuertes y manos grandes. Parecían boxeadores fracasados; probablemente gorilas que se habían actualizado a través de una serie de golpes de poca monta, tal vez un éxito menor.

Quienquiera que fuera el diablo, los tenía esclavizados. Tom sabía que no había forma de escapar sin importar el resultado. Se odiaba a sí mismo por pensar en términos tan severos sobre un resultado, pero estos hombres no eran aspirantes a insignificantes como el asistente de Vlad. Debieron haberlo sabido cuando llegaron, probablemente morirían. Sus armas eran auténticos SIG-pros. Sus documentos falsificados, portadas y habilidades de actuación fueron suficientes para engañar incluso a agentes entrenados. Ninguno de ellos hablaba con acento. Sí, el resultado era claro para Tom.

Esta era una misión suicida, como el terrorista en la Casa Blanca.

¿Qué hombre tenía el poder de persuadir a los hombres a

morir por él, aparte de Dios? ¿Y qué querían con el libro si no iban a salir con vida?

Tom escuchó al pelirrojo revisar sus cajones. Tenía doce segundos como máximo. Vio una sombra en la ventana y supuso que algunos de los francotiradores se habían acercado. Terry se movió levemente. Britney cantó: "Cuando rompa ese látigo, todos se tropezarán".

"¿Qué le hiciste a mi hermano?" Preguntó Tom.

"Trató de resistir. Teníamos que hacer que no se resistiera".

"Dos contra uno, los dos armados. Bravo."

"¿Le estoy apuntando a tu hija con un arma y quieres dártela de inteligente?"

"Te gusta matar niños, ¿verdad? Pequeño cobarde despiadado. No sobrevivirías dos minutos sin tus armas".

"¿Y eres un hombre ético que se coge a otras mujeres y arriesga a su familia?"

Los ojos de Vic dijeron: "Tom, detente."

"Mi hermano se está despertando. Dos contra dos ahora, amigo. "

"Las armas hacen cuatro contra dos".

El hombre de cabello negro se volvió para mirar a Terry. En ese instante, Tom le quitó el cuchillo de la espalda y pateó el arma de la mano del secuestrador. Terry se apresuró a agarrarla y también el secuestrador, pero Tom lo agarró por su uniforme, lo arrastró hasta las rodillas y le abrió una profunda herida en la garganta. El cuchillo lo facilitó. El segundo secuestrador entró en la habitación, disparando su semiautomático en un arco a través de la habitación. Las ventanas explotaron. Terry disparó un par de tiros, pero luego recibió un tiro.

Tom usó al muerto como escudo. Terry había golpeado al segundo secuestrador en el brazo izquierdo y el cuello, pero se estaba levantando para disparar de nuevo. Tom le lanzó el cuchillo. Hizo un rastro de sangre por el aire y se clavó en el cuello del hombre. Miró a Tom a los ojos.

Los francotiradores entraron en tropel en la habitación. Tom miró a Vic y sus hijas. Escuchó un crujido en alguna parte, como si su alma se acabara de dividir y estrellarse contra la Tierra. Todos estaban muertos. Sin hablar, se acercó al cuerpo sin vida del segundo secuestrador, le quitó el cuchillo del cuello y le cortó la cabeza. Luego, oscuridad.

72

TOM ABRIÓ LOS OJOS Y MIRÓ MÁS Y MÁS PROFUNDAMENTE A un lugar triste y oscuro que nunca terminaba.

No, Dios, no volvería a hacer eso.

Se estiró, buscando el pulso, pero no sintió nada.

Se sentó y miró al otro lado de la habitación. La muerte lo rodeaba . Las lágrimas cayeron profusamente.

No, Dios, no volvería a hacer eso.

Tom se puso de pie y suavemente quitó las correas liberando los bracitos de sus hijas mientras sus lágrimas caían sobre sus cuerpos sin vida.

Tom le gritó a Vic que lo ayudara, pero el silencio llenó la habitación. Y cuando Terry no respondió, sus rodillas se doblaron y cayó junto a sus hijas con una sensación de completa desesperanza.

Mientras se sentaba quieto, abrazando con fuerza a sus hijas, quedó intrigado por su piel, por lo gris y fría que estaba . Al principio, pensó que tal vez su mente le estaba jugando una mala pasada. Pero luego les quitó la ropa de las caritas y vio esos labios grises y ojos sin vida... Tom volvió a la realidad con una angustia increíble.

Tal vez habría sido diferente si no hubiera estado solo

cuando se despertó y encontró sus diminutos cuerpos sin vida. Quizás si Helen hubiera estado allí. Pero Helen había estado muerta por un tiempo y ahora el resto de su familia estaba muerta.

Tom se volvió y miró alrededor de la habitación sin vida de nuevo, pero esta vez su corazón se partió en dos.

Tomando las manitas de sus dos hijas entre las suyas, comenzó a disculparse con las dos por sus errores, mientras las lágrimas continuaban cayendo. Les dijo que las amaba a ambas con todo su corazón y lo orgulloso que estaba de ellas. Las amaba por sus sonrisas y la forma en que saltaban sobre él cada vez que llegaba a casa. Las amaba cómo se cuidaban la una a a la otra después de la muerte de su madre. Las amaba por la forma en que ellas lo amaban a él.

Tom, nunca volvería a ser el mismo. Su dolor se había vuelto casi visible, como si le hubieran cortado una parte de su cuerpo. Ahora se había perdido a sí mismo, o al menos la versión de sí mismo que estaba ilesa de la tragedia, una versión inocente que caminaba por algún universo paralelo donde su familia todavía estaba viva, ignorante de la increíble fortuna de una familia enteramente viva.

Los grandes ojos azules de Sophia y Angela comenzaron a destellar rápidamente en su mente, siempre tan brillantes. Su risa fuerte. Eran las co-cuidadoras de su vida. Se suponía que Tom las guiaría a ambas por el camino del matrimonio. Se suponía que sus hijas caminarían junto a él más tiempo que cualquier otra persona en esta vida. Se suponía que iban a vivir mucho más que él. Tom se estaba volviendo loco rápidamente.

Su familia era ahora su pasado y fue entonces cuando decidió no tener futuro. Gritó a Helen pidiendo perdón.

Los gritos de Tom resonaron por toda la casa.

73

Tom enterró a sus hijas y a su Vic un día, a su hermano, al siguiente.

Los padres de Helen no volvieron a tener contacto con él después de los funerales. No lo consolaron ni lo condenaron.

En los meses que siguieron hizo un viaje diario a las tumbas de cada uno de sus familiares fallecidos, sus padres un día, su hermano y esposas al día siguiente, sus hijas al día siguiente. Pasó sus días casi por completo en cementerios. Por la noche bebía. Bebía hasta desmayarse y, cuando se despertaba , se dirigía al cementerio que debía visitar de acuerdo con su desolado horario.

Estaba más allá del dolor. Diariamente pensaba en suicidarse, pero razonaba que la muerte era una paz que no se merecía. Si hubiera creído en el cielo y el infierno, el suicidio habría sido su primera y mejor opción; su vida ahora estaba viviendo la condena . No había nadie a quien acudir. Bien podría haber ocupado el lugar que le habían asignado en el infierno. Había pasado de ser un buen padre de familia a un asesino. No solo de otros hombres, sino un asesino de su propia carne y sangre. Se preguntó si había sido un asesino todo el tiempo.

74

"SEÑORSTILES, AGENTE WILLIS. ENCANTADO DE conocerlo, señor. Lamento su pérdida, me refiero a pérdidas. ¿Cómo está usted, señor?"

"Sobrellevándolo, Willis. Solo sobrellevándolo".

"Por supuesto señor. ¿Sería tan amable de seguirme, señor?"

Tom finalmente había aceptado la reunión con la Unidad de Operaciones Encubiertas solo para evitar que lo contactaran. Se sintió como si hubiera descendido a una caldera. Después de la corta estadía en el hospital y durante las primeras semanas se distrajo con los arreglos del funeral, siendo fuerte, siendo Tom Stiles. Cada noche era un embrollo de culpa y pensamientos suicidas, insomnio o sueño envenenado. Importaba poco, no había nada ni nadie por quien vivir.

Veía sus rostros por todas partes, los olía por todas partes, sintió su traición en su médula. Una fría mañana, escribió un testamento y una nota de suicidio: "Perdóname". Se bebió casi toda la botella de Glenmorangie sentado en su coche en el garaje escuchando a Vivaldi.

Luego, cerca del anochecer, salió del auto, sintiéndose

perfectamente sobrio. Abrió su caja de pesas, levantó las pesas y quitó el panel que ocultaba su arsenal. Era hora de morir. Dentro de la caja, solo encontró una foto de Helen y una nota escrita a mano de Terry. "No en mi guardia, no lo harás". Esto lo despertó, lo puso sobrio.

A la mañana siguiente, comenzó a entrenar de nuevo, a veces tres veces al día, sacó el relleno de dos sacos de boxeo de peso pesado, pagando sus pecados con sudor y músculos desgarrados.

Siguió a Willis a una sastrería. Los trajes se alineaban en todas las paredes y un hombre con alfileres en la boca asintió mientras Willis los conducía a una habitación trasera. El hombre tenía grandes ojos azules, cabello blanquecino con raya en el centro y manos grandes. Tom supuso que le faltaba una oreja, herida de escopeta de corto alcance y calibre medio. "Es un asunto peligroso esta sastrería", pensó Tom.

Se abrió la puerta de un ascensor y entraron. No había botones. La pared trasera del ascensor se abrió abruptamente. Willis lo hizo salir y le entregó un pase de seguridad.

"Es un pase difícil, señor. Es suyo . Rara vez tengo acceso a esta área".

"Pero nunca había estado aquí antes".

No respondió, solo señaló a Tom el largo pasillo de vidrio esmerilado que conducía hacia un gran vestíbulo vacío.

Una mujer entró en el vestíbulo por una puerta lateral, llevando un elegante maletín de cuero fino de color canela oscuro. Llevaba un vestido de lana negro con botas de cuero hasta la rodilla. Su cabello castaño estaba recogido en un elegante moño. Quizás tenía cuarenta, cuarenta y dos, tal vez.

"Señor Stiles, es un placer conocerlo . Gracias por aceptar nuestra invitación. Soy la comandante Alexandria Tap. Por favor, llámeme Alex".

"Estoy aquí porque no tenía muchas opciones. Me llamaron dos veces por semana durante los últimos seis meses. ¿Pensé que me iba a encontrar con Paul?"

“Tenía un trabajo que hacer para mí en Malasia esta semana. Estos son tiempos difíciles".

"¿Él me informará?"

"Sí, Sr. Stiles, como yo le informo al director, quien se unirá a nosotros en breve".

75

Tres minutos más tarde, el sastre que Tom había visto antes, vestido ahora con un traje negro a medida y una corbata de cachemira, entró en la habitación.

"Disculpas, Sr. Stiles. Siempre un correo electrónico más para revisar. Ha conocido a la Comandante Tap. Soy el director de Operaciones Encubiertas. Sin nombre, solo el director. De manera informal, me llaman el sastre. Comience cuando esté lista , comandante".

"Gracias, SeñorTom, me han informado completamente de su situación y, como he dicho antes, lamento sus pérdidas".

Tocó una pantalla táctil incrustada en la mesa y una pantalla transparente apareció en el aire y brilló. Entonces, imágenes de Tom desde los doce años hasta una foto de él entrando a la sastrería hace unos minutos cruzaron la pantalla mientras el comandante leía:

"Tom Stiles, nacido: Blaxland, Nueva Gales del Sur, Australia, el 06/09/1966; edad actual: cuarenta; peso: 89kg; altura: 188cm; cabello negro; aparte de una marca de quemadura en la mano derecha de un incendio en una casa a los siete años, no hay tatuajes ni marcas corporales. Padres fallecidos en el mismo incendio de la casa; posteriormente criado por abuelos que ahora han fallecido. El hermano Terry sufrió heridas mínimas y fue acogido, también fallecido recientemente; estado familiar actual: esposa Helen Stiles fallecida, compañera Victoria May, fallecida, gemelas Angela y Sophia Stiles fallecidas, y los suegros Angelo y Sophia Gotsas están bajo constante vigilancia protectora, ahora viven en Melbourne. A principios de 1984, se matriculó en la Universidad de Sydney a los diecisiete años; Licenciado en Economía, Licenciado con Mención Honorífica; ingresó al programa de posgrado de bancos en 1988, a la edad de veintiún años... "

Tom vio pasar su vida ante él: imágenes del día de su boda, ceremonias de graduación, fotos de Terry y él en el jardín con su padre, sus hijas, Vic, una pantalla de dolor en desplazamiento para Tom ahora, un hombre que se sentía desheredado de su pasado, que había deshonrado su propio nombre, que no tenía ninguna razón para vivir. Trató de no llorar, pero las lágrimas le llenaron sus ojos.

El comandante continuó: "Asignación de especialistas designados dentro de la división de contrainteligencia y explosivos "; CI es competente en la recopilación de pruebas, prepara y difunde informes de CI sobre la información de protección de la fuerza a todos los niveles; lleva a cabo operaciones de recopilación de inteligencia sobre artefactos explosivos improvisados, apoya misiones de personas muy importantes (VIP) para Australia y EE. UU., ASIO, servicio secreto, departamento de estado y otras agencias federales... "

"No puedo soportar esto", dijo Tom, devastado.

"Por favor, escúchela , Tom", dijo el director con calma.

“Gracias, Director. Tom, sabemos que anteriormente rechazó la invitación para convertirse en agente de OEZ. Pero no creo que conozca algunas de las características y beneficios de convertirse en agente y cierta información nueva podría hacer que reconsidere su posición".

"Por favor, no pierda el tiempo", dijo Tom. “Mi vida es

simple. Dijo contenido. No soy el Tom Stiles que acaba de describir allí. Puede que me parezca a él, pero no soy él. Se ha ido, muerto y enterrado".

"Lo entendemos, Tom. La vida ha sido difícil y seré el primero en admitir que lo decepcioné; nosotros, la agencia, lo decepcionamos. Pero las cosas han cambiado, Tom. El mundo ha cambiado sobre su eje".

"Me doy cuenta de eso, pero soy firme en mi postura. Mi vida se acabó. Ya no tengo nada para dar a nadie. Mi familia está muerta, mis hijas, mi pareja y mi hijo por nacer, mi hermano; me han quitado a toda mi familia dos veces. Me mantengo vivo solo con la esperanza de que algún día pueda tener mi venganza total".

"Director, puedo sugerir que llevemos a Tom a almorzar", dijo Tap. "Podemos explicar las cosas un poco más a fondo y lejos de la burocracia".

"Sí, comandante. Este lugar debe parecerle muy extraño a Tom. ¿Tom qué dice ? ¿Al menos sentarse con nosotros durante una hora?"

"Son un grupo persistente, pero mi mente no cambiará con el cabernet sauvignon".

76

Estaban sentados en el restaurante giratorio de la Torre Sydney , rodeados de madera y vidrio . La habitación estaba casi vacía. En el ascensor, en el camino hacia arriba, una cámara mostraba una vista del ascensor descendente que estaba abarrotado de gente.

Los únicos otros comensales eran una pareja de ancianos judíos, a quienes el director saludó con "Shalom" al pasar. Se ordenó el primer plato de crepes de pato y Alex explicó que todo lo que se dijera en la mesa sería extraoficial. Dijo que le estaban confiando a Tom la información que sentían que necesitaba saber antes de descartar su oferta.

Tom bebió un sorbo de vino y endureció su mente. La ciudad de Sydney, los puentes, los puertos, las autopistas que conducían a las montañas, lo rodeaban. Sintió que le ofrecían la ciudad, incluso el mundo, pero no había forma de que volviera a involucrarse con ellos. Su vida se había reducido a mantener la memoria de los muertos. Alimentaba su necesidad de venganza. Eso era todo lo que quería ahora. Y era un trabajo que quería hacer solo. Había desenredado conspiraciones antes y había sido entrenado para matar. No necesitaba autoridad, no quería restricciones, papeleo, ni ley. Quería ser una ley para sí mismo.

Tom ya no quería hablar de sí mismo ni de por qué debería o no unirse a Operaciones Encubiertas. Para desviar la atención de sí mismo, le preguntó a Alex cómo se había involucrado por primera vez con la Unidad de Operaciones Encubiertas.

El director explicó que había visto a Alex representando a su país como capitana del equipo de judo en los Juegos Olímpicos de 2004, secundada por el ejército, todo por la Reina y su país de origen . Coincidió con las primeras reuniones informativas sobre el establecimiento de una Unidad de Operaciones Encubiertas para apoyar la guerra contra el terrorismo, celebradas en Atenas con el primer ministro australiano y el presidente de Estados Unidos. Los criterios del director para los agentes eran: una cara pública conocida, atletismo de élite, valores morales, patriotismo y un alto coeficiente intelectual. Una búsqueda rápida en los archivos ASIO le había dicho al director todo lo que necesitaba saber sobre Alex.

"Descubrí que el récord de Alexandra Tap", continuó, "incluía graduada de Mensa, erudita en Rhodes, medalla de bronce en judo en los Juegos Olímpicos de 1984, medalla de oro en los Juegos de la Commonwealth de 1986, una licenciatura en economía y una maestría en psicología de Oxford. Universidad con beca completa".

Cuando el director relató la gloria olímpica de Alex en 1984 derribando a su oponente coreana con una combinación de derecha e izquierda que ningún ojo humano podía ver, se acabó el juego. Tom era todo oídos.

Desafortunadamente para Tom, Alex y el director no se distrajeron por mucho tiempo.

"Desde que el primer ministro firmó esta nueva iniciativa encubierta con los EE. UU., todos hemos sido firmes en hacerlo realidad. Actualmente tenemos cuatro agentes OEZ encubiertos activados: uno en Europa, dos en el Medio Oriente y uno en el área de Asia Pacífico. Si acepta, será el quinto agente OEZ activo encubierto y estará adscrito a los EE. UU. Verá, solo hay uno asignado a cada una de estas ubicaciones ", dijo el director.

Tom apenas escuchó mientras el director hablaba de la importancia del tiempo zulú para las Operaciones Encubiertas, el posicionamiento global, la alianza Sello de la Marina y las capacidades de primer nivel.

"Los agentes OEZ son únicos y se seleccionan en consecuencia", agregó la comandante.

Tom escuchó y reconoció en sí mismo una sensación de atractivo hacia ella, un ligero deseo de ser aceptado por ella que encontraba fascinante.

“Deben contar con el respaldo explícito del primer ministro y el presidente. Verá, se necesita autorización antes de que se elija un agente OEZ. Su acción en la Casa Blanca le ha dado esa aprobación presidencial y del primer ministro. Todo está firmado y autorizado".

"No pueden hacer que me una, ¿verdad? ¿Tengo una opción?”

Alex miró al director antes de responder. “Nadie puede obligarlo a aceptar, Tom. No está reclutado, y la responsabilidad recae en usted para ofrecer sus servicios como voluntario para su país".

"Tienen que estar bromeando. Tengo cuarenta años. Tiene a la persona equivocada, comandante. Entonces mi respuesta fue no, y sigue siendo no".

"Tom, aquí está el quid del asunto: tiene razón, ya no cumple con todos nuestros criterios después de todo lo que ha pasado. Lo perseguimos por una razón. Cumple con un criterio que ningún otro agente potencial podría cumplir".

“Tom”, dijo el director, “puede que no lo parezca después de todo el estrés de los últimos años, pero no soy mucho mayor que usted . Estudió biología en la escuela, ¿no?”

"Estudié , sí".

"¿Se acuerda del libro de texto que usábamos en esos días, La Red de la Vida?"

"Sí, claro que sí, no es que pueda recordar qué es la ósmosis ahora o cómo se ve el interior de una rana".

"Ni yo, Tom." El director sonrió. "Pero ese título siempre me ha intrigado, la interconexión de todas las cosas. Los patrones en el centro de la vida. El efecto mariposa, creo que es el término de moda ahora. Piense en todos los pequeños hilos que mantienen unido un traje...

"No hace mucho, conoció a un hombre llamado Cerberus, el hombre responsable de la muerte de su pareja, la muerte de sus hijos y la de su hermano. Probablemente estaba destinado a morir ese día, pero desactivó su plan. Habían venido a buscar algo de su casa. Mataron a todos los que amaba ".

"Esto es de poca ayuda o consuelo, director", dijo Tom.

"Tom, cuando arruinó ScamTell, retrasó sus planes una década. Todavía quieren venganza. Pero todavía parecen querer algo más de usted y no sabemos qué es".

El director sacó una computadora portátil de su maletín. Mientras el camarero volvía a llenar sus copas de vino, el director le susurró al oído y el camarero fue y le pidió a la pareja judía que se fuera. Lo miraron por encima de los hombros y él asintió en respuesta. El camarero se fue a la cocina, el chef saludó y se fue con su personal. "Ahí va mi plato principal", pensó Tom.

77

La pantalla del portátil se llenó de humo y en los bordes, Tom vio cómo las llamas se disparaban.

Cuando el humo se disipó, se enfocó un almacén que parecía estar en un puerto en algún lugar. Era evidente que había volado, pero no había camiones de bomberos ni policías ni guardias de seguridad. Tom bebió un sorbo de vino.

Un hombre con un abrigo rojo con un rifle colgado del hombro salió caminando del humo. Tenía algo redondo en la mano que Tom no podía distinguir. Llevaba un shemagh del desierto que le cubría la cara y un chaquetón del ejército francés.

El hombre se acercó a la vista. Sus ojos se enfocaron, azules con grandes cejas negras. Tom no lo reconoció.

Luego miró la mano del hombre. Sostenía una cabeza decapitada. Tom dejó escapar un grito bajo. "¡Oh Dios!"

"El hombre que sostiene la cabeza de uno de nuestros agentes es el jefe de Cerberus. El leopardo", dijo Alex.

"¿Qué es lo que quiere de mí? ¿Y por qué no lo han matado todavía?"

"No podemos encontrarlo", dijo el director, "Hemos estado buscando por el mundo con la ayuda de la CIA y el

MI6. Nadie sabe su nombre real, fecha de nacimiento, nacionalidad o paradero."

"Un agente de Operaciones Encubiertas lo vio en Ginebra y una hora después alguien lo vio en Estambul. Es un puto holograma. Está completamente fuera de la red y nunca usa un teléfono móvil ni una computadora. No sabemos cómo da órdenes o mantiene el control. Pero sus huellas digitales están en todo lo que definiríamos como maldad moderna."

"Y ahora Tom, nos envía esto. Esta es su primera comunicación directa, dejada en el equipo emitido por la agencia del agente muerto en la escena del crimen. Sin huellas dactilares. Quiere que vayamos por él. Específicamente, está tratando de sacarte de encima, Tom. Quiere que vayas por él. Hemos tenido tu casa cubierta y te hemos mantenido a salvo porque te decepcionamos, ya una vez. Si regresa, podemos matar a este hombre. Él es el diablo".

"¿Por qué demonios volvería al infierno? Respóndanme ; ¿Por qué habría de hacer eso?"

78

"Tom, tenemos una fuerte sospecha de que la razón por la que ScamTell te pidió que los investigaras hace tantos años fue porque estaban siendo extorsionados por el Leopardo. Esos dos jóvenes habían descubierto una fuente de estafas en Internet que provenía de una dirección chechena. Creemos que el producto que estaban a punto de vender al gobierno tenía la capacidad de rastrear a los estafadores directamente en una computadora y luego seguir su rastro en Internet durante años."

"Pero creemos que el Leopardo se enteró de esto. Piénsalo, Tom, todas las estafas del mundo terminaron, excepto las dirigidas por el Leopardo. Ambos tipos eran adictos a la coca de alto rendimiento y Leopardo usó esto para extorsionarlos e infiltrarlos. Nuestra información sugiere que querían ser descubiertos porque si la licitación del gobierno se aprobaba, habrían sido marionetas manipuladas por el Leopardo. Ellos lo sabían, pero la alternativa era que todo su buen trabajo desapareciera..."

"Pero ellos conocían tus antecedentes tan bien como nosotros. Al sacrificarse de esa manera, podrían evitar que el

Leopardo se infiltrara en el gobierno. No sabemos qué precio pagaron. Nadie los ha visto ni oído hablar de ellos en años".

"Esto es lo que hace el Leopardo, Tom: se pone en posición de provocar el caos", dijo la comandante Tap. "Ese es su modus operandi. Y nuestra propia agencia no estaba fuera del alcance del Leopardo. Lamento también informarle que tuvimos una filtración interna, Paul Henderson".

"No Paul, de ninguna manera. Está loco. Es uno de los buenos. ¿Tuvieron alguna fuga? Entonces, ¿está muerto ahora por su culpa?

"Él era bueno,Tom, definitivamente era uno de los buenos", dijo la comandante Tap, mirándolo a los ojos. "Pero todos tenemos una debilidad. Piensa en ello: Paul amaba el poder. Dudo que alguna vez lo perdonara por superarlo en esa entrevista de trabajo hace tantos años. Y cuando parecía que podría convertirse en el principal asesor de seguridad del primer ministro o en un posible agregado de los Estados Unidos, pensamos que la falta de poder lo quebró . ¿Cómo entraron esos hombres a su casa? ¿Quién podría haber dado esa orden? "

Tom se sintió desquiciado. En su mente vio a Paul llevándolo a la reunión con Cerberus y recordó cuánto sabía Cerberus sobre él y la organización. Paul nunca había explicado completamente cómo entraron los hombres en la casa. ¿Cómo parecía saber siempre dónde estaría Cerberus y si sabía dónde estaba, por qué no lo traía? "Joder", pensó Tom, "Hendo ayudó a matar a mi familia."

"¿Pero por qué el Leopardo lo mataría si era un agente doble?"

"Había cumplido su propósito. Tan pronto como el Leopardo se dio cuenta que estábamos sospechando de Paul, lo silenció".

"Sin embargo, el Leopardo tiene asuntos pendientes con usted . Suponemos que debe saber qué quiere venganza. Estás picando en el fondo de su mente. Es una pieza perdida en su plan de juego. Si viene a usted ; ayúdenos a matarlo".

"Director, con todo respeto, no hay jodido trato. Esto es demasiado para comprender y no quiero absorberlo; ya he visto demasiado en mi vida y no tengo nada por lo que vivir".

79

Tom no había conducido muy lejos cuando un Mercedes negro apareció detrás de él. Lo siguió por las calles de la ciudad. Hizo tres vueltas rápidas solo para asegurarse de que no estaba siendo paranoico. El coche se mantuvo detrás . Sintió algo familiar en él; algo de corriente corrió a través de su memoria y sintió que su cuerpo se tensaba.

Tom aceleró su BMW con fuerza y se metió en la autopista, en dirección a Newcastle. El Mercedes seguía acercándose, aunque Tom había alcanzado los 170 kilómetros por hora. "Ningún auto va tan rápido", pensó. Hundió más fuerte el acelerador y su X5-M alcanzó los 200, pero el Mercedes mantuvo el ritmo.

"Ok, que se joda", dijo Tom. "Es hora de ver las vistas de Lane Cove, bastardos".

Se dirigió al carril de salida en 150 y giró sobre una barricada, topándose contra Lane Cove Road, desviándose a través de los carriles de tráfico. El Mercedes intentó cortarle el paso, pero giró 180 grados y aceleró hacia un estacionamiento de la universidad. Las campanadas de las vísperas repicaban. Los viejos edificios de piedra arenisca estaban disfrazados de sombras.

Tom se detuvo, sacó un revólver de su guantera y disparó al aire una vez. Los estudiantes se dispersaron y el Mercedes rugió directamente hacia él. Los guardias de seguridad aparecieron por las avenidas universitarias, conduciendo pequeños carritos de golf.

Tom sabía que el automóvil era a prueba de balas; n o tenía sentido desperdiciar munición en el parabrisas. Disparó a un neumático y luego al segundo. El Mercedes perdió impulso, pero siguió acercándose directamente a él. Apareció una pistola y la primera bala pasó junto a su oreja.

Tom echó a correr directamente hacia el auto justo cuando se abrieron las puertas y salieron dos hombres barbudos. Metió una bala en el grueso cuello de cada hombre y cayeron como piedras.

Tom abrió la puerta del conductor por completo, con el arma en posición y miró al interior del auto.

80

Tom le quitó la capucha a la mujer. Su respiración se detuvo. Sus ojos estaban ennegrecidos y la sangre brotaba de su boca. Se calmó y bajó el arma.

Sintió que algo en su interior se despertaba por primera vez desde el día de la muerte de su familia. Era un pulso en él que parecía correr a lo largo de un patrón único de venas. No podía admitirlo todavía, no podía desencadenarlo. Pero quería hacerlo.

Las sirenas de la policía rugieron en sus oídos. Volvió a concentrarse, saltó al asiento del conductor y puso en marcha el auto después de sujetar suavemente a Anna en el asiento trasero. Condujo directamente lejos de la policía , haciendo que se apartaran de su camino. "Piensa bastante", se dijo a sí mismo, "piensa bastante". Quienquiera que hubiera querido atacarlo había estado esperando un momento limpio. Estaban interesados en él. ¿Quizás solo necesitaban que lo borraran como una posible amenaza? ¿O pensaron que sabía algo que ni siquiera sabía que sabía? "Piénsalo bien, Tom."

Perdió a la policía y llamó a la comandante Tap.

"Tom, lo estamos rastreando. ¿A dónde va ?"

"Cruz del rey; este bar es al que tenía la intención de ir".

"Tom, hable en serio."

"Lo digo en serio. Podría llevar a Anna Goesoff de regreso a encontrarse con su padre".

Alex guardó silencio por un momento. "¿Tiene a Anna?"

"Sí, llámelo un regalo sorpresa. ¿Quiénes son los matones a sueldo que me acaban de perseguir?"

"El automovil era de Vlad, pero dudamos que lo hiciera. Creemos que fue Cerberus pero, para ser sincera , no sabemos por qué. Podría haberlo intentado en cualquier otro momento. A menos que... Tom, ¿hubo algo en absoluto que los asesinos en su casa pudieran haberle revelado, tal vez no lo notó en ese momento, el detalle más pequeño ?

Tom colgó. Tan pronto como vio McRarr's Creek Road, giró y se dirigió hacia la reserva. Se dio vuelta para ver cómo estaba Anna. Su sangrado se había detenido, pero estaba claramente adolorida, lo que solo sirvió para que él se sintiera más decidido. Ralentizó su mente mientras entraba en la reserva.

Al detener el automóvil detrás de un grupo de eucaliptos, se llevó a cabo una revisión rápida en busca de lesiones, pero solo encontró que el hombro de su traje estaba cubierto de sangre y su rostro llevaba una media máscara de carnaval de sangre. Después de ayudar a Anna a bajar del coche, le pidió que se pusiera de pie y que extendiera los brazos, con las manos esposadas y separadas, luego disparó a la cadena entre las esposas para separarlas. Ella cayó en sus brazos. No hablaron. Tom sostuvo su teléfono detrás de su espalda y le envió un mensaje de texto a la Comandante Tap: "Envíeme uno nuevo, Henry."

El arroyo fluía junto a ellos. Una familia joven paseaba por el horizonte y les llegaban los sonidos de un partido de fútbol lejano. En algún lugar, alguien estaba asando salchichas. Pájaros Kookaburras cantaban . Murciélagos Frugívoros colgando de los árboles.

"¿Qué está pasando, Anna? Tómate tu tiempo, pero trata de explicármelo. Estás a salvo ahora. Puedo protegerte".

Pero Anna estaba demasiado aterrorizada para hablar. Miró a Tom como si fuera un fantasma frente a ella. Tom la abrazó de nuevo.

81

Tom acompañó a Anna hasta la orilla del agua. Le lavó la cara, luego la suya. Hizo una mueca y dejó escapar pequeños jadeos de dolor. Fue a la guantera esperando un botiquín de primeros auxilios o vendas, pero solo encontró cartuchos usados, salpicaduras de sangre, cigarrillos y un frasco de whisky. Bebió un sorbo y se lo dio a Anna, luego encendió dos cigarrillos.

"Lo siento, Tom. Lamento haberte arrastrado tan profundamente en esto".

"Anna, hice lo que debía ".

Pero Anna negó con la cabeza. "El libro, Tom. El libro que te di".

"¿El Chejov ov?"

"Sí, me iban a cambiar por eso. Necesitaba darte algo que pudieras usar para negociar mi vida. Hoy me iban a matar. Ya no les sirvo, pero les recordé que todavía sabía dónde estaba el libro y que se lo cambiarías por mí. Te vieron salir de tu casa. Te siguieron y planearon sacarte de la carretera en algún lugar tranquilo y hacer su propuesta. Sus planes cambiaron cuando te vieron hablando con el director; algo cambió para ellos entonces. No sé qué".

"¿Quién está detrás de esto? ¿Qué es tan importante del libro? "

Su teléfono sonó. La comandante Tap le informó que ella y un nuevo conductor estaban a nueve minutos. Tom cortó la llamada y se volvió hacia Anna. "Tienes ocho minutos para contarme todo".

82

Anna lo había expuesto lo mejor que pudo. Le había dado a Tom el libro para tener una moneda de cambio. Faltaban ocho páginas y Cerberus tenía esas ocho páginas. Pero sin el libro en sí, Cerberus no podría cumplir con la siguiente parte del plan de Leopardo.

El fracaso significaría la muerte. Significaría la muerte para Cerberus y la muerte para cualquiera que se interpusiera en el camino del regreso del libro. Anna pensó que el libro podría contener un código, pero no lo sabía con certeza. Fuera lo que fuese, ya le había costado la vida a al menos un centenar de hombres.

Ella sabía que el grupo que dirigía el Leopardo estaba compuesto por terroristas que compartían el odio por la democracia. Eran los marginados, los exiliados, los expulsados de sus propios movimientos nacionales o religiosos por indiscreciones o sospechas de fechorías o porque su sangre no era lo suficientemente pura. La mayoría eran solo soldados de fortuna. Al Leopardo no le importaba quiénes eran mientras fueran leales. Todo lo que necesitaba era que se unieran bajo la única bandera del odio.

La genialidad de esta política de contratación abierta fue

que nadie conocía toda la historia o los motivos del Leopardo y, a medida que su mito crecía, también lo hacía su poder. Se lanzaba un misil en Palestina, se quemaba una aldea en Afganistán, se atacaba una embajada en Siria y nadie asumía la responsabilidad; esa es una parada característica del Leopardo. Crear el caos sigilosamente. Interrumpir y luego alimentarse de la interrupción. La interrupción era igual a la oportunidad. Un hombre sediento daría cualquier cosa por agua, entonces, ¿cómo se volvía más sediento?

¿Y por qué el Leopardo? ¿Qué sucedía cuando el leopardo se acercaba al pueblo? Los animales entraban en pánico, las mujeres y los niños se escondían y se consolaban con historias, y los hombres salían esperando matarlo. Pero todo lo que encontraban , incluso si miraban en el lugar correcto, era un rastro de sangre que terminaba en un cadáver. El leopardo se había ido, y nadie podía estar seguro de que fuera un leopardo. Las historias crecían . ¿Quién no elegiría comer con el Leopardo si esa fuera la alternativa?

Anna no tenía idea de cómo el Leopardo mantenía su poder o daba sus órdenes, pero Tom estaba formulando una teoría. En la era moderna, todos estamos vinculados por la tecnología, pensó, ¿y qué sucede si evitas la tecnología? Sin firma digital, sin teléfono móvil, sin uso de Internet, sin certificado de nacimiento, informes escolares, licencia de conducir o pasaporte. Nunca había usado un teléfono ni pagado una factura de gas. No compraba ni aparecía en un lugar público.

Una vez que todo se borra o se evita, ¿cómo se prueba una identidad? ¿No es bastante fácil quedarse sin hogar también? Una vez que se ha borrado a sí mismo y ha comenzado a evitar la tecnología, puede convertirse en cualquier persona, simplemente roba identidades. Todo lo que necesita es un número de tarjeta de crédito y una fecha de nacimiento. Si necesita hacer una llamada por día, roba un teléfono nuevo cada día. Accede a la red de su vecino si necesita enviar un correo electrónico. O mejor aún, emplea una línea de comunicación tan redundante que haya sido olvidada.

¿Puedes escuchar los tambores de la jungla en una ciudad en guerra o incluso en una ciudad en la hora pico? No, no a menos que estés pendiente de escucharlo. Una opción era utilizar un código de colegial en la obra de un autor famoso, uno cuyo trabajo se puede encontrar en todas las bibliotecas del mundo... pero este libro era un artículo de colección y Cerberus era un coleccionista.

83

Tom se había ido cuando la comandante Tap llegó a la reserva.

Al encontrar a Anna a la orilla del agua, le cubrió los hombros con una manta y le limpió la sangre de alrededor de la boca con una toallita antiséptica. Anna estaba temblando, así que le inyectó un sedante. Abrió la cerradura de una bolsa azul suave y la bolsa se congeló instantáneamente. La comandante aplicó la compresa fría a los moretones en la cara de Anna. Luego, su conductor metió a Anna en el coche y atravesó la reserva, dejándola a ella en la orilla del río.

La comandante sacó su teléfono, enchufó unos auriculares y le escribió un mensaje al director mientras seguía el vehículo de Tom en la pantalla. Estaba a cuatro kilómetros de King´s Cross.

Tom y Terry habían estado en Kings Cross cuando eran adolescentes. EL lugar tenía una reputación aterradora en ese entonces, llena de delincuentes de poca monta y sus trolls, prostitutas, strippers, drogadictos y hombres borrachos que buscaban violencia, sexo o ambos.

Para Tom ahora, todo era mezquino, viscoso e intrascendente. Estos pequeños ribetes eran tan suaves como almohadas de plumas e igualmente intimidantes. Pero cuando eran niños, habían caminado por la calle principal con miedo en los ojos y la inocencia desapareciendo de ellos mientras miraban a las chicas, vislumbraban un arma o cuchillo escondido y observaban a los tipos duros parados afuera de las puertas de los clubes nocturnos todo el día con carteles que decían ¡Espectáculos porno y Lucha en el Barro de Nenas!

Mientras conducía, Tom habló rápidamente en voz alta para sí mismo. Esbozó hilos en su cabeza, sonando como un loco expulsado de Babilonia, viendo significado y futilidad en todos sus eventos pasados recientes.

84

Alexandra Tap estaba sentada en la pose de un Buda meditando en la orilla del arroyo, con los ojos cerrados pero el auricular fijo en su lugar. Un helicóptero sobrevolaba kilómetros arriba, esperando sus instrucciones.

Sin embargo, para un transeúnte, habría parecido simplemente una mujer corporativa que alivia el estrés de su día meditando en la naturaleza, lejos de los correos electrónicos, las conferencias telefónicas y las reuniones de partes interesadas. Nadie que mirara sus ropas caras, su rostro rubio e inmaculado y los mechones oscuros que le caían hasta la cintura hubiera sospechado su verdadera vocación.

Escuchó y grabó la perorata de Tom. Su mente estaba trabajando en Zen Koans (acertijos Zen). Sabía en su interior que Tom había revelado algo, pero la información no estaba completamente clara . "Déjalo venir", pensó, y en su mente comenzó a recitar:

La iluminación es como la luna reflejada en el agua.
La luna no se moja, ni se rompe el agua.
Aunque su luz es amplia y grande,

La luna se refleja incluso en un charco de una pulgada de ancho.
Toda la luna y todo el cielo
Se reflejan en una gota de rocío sobre la hierba.

85

Tom caminó por la calle principal, tal como lo había hecho cuando era adolescente. Los dos hombres de dos metros de altura que estaban fuera del club nudista tenían una luz neón pulsante que les cruzaba la frente. Le entregaron a Tom vales para bebidas gratis en el bar. En una placa sobre la puerta, el titular de la licencia del local se llamaba Vlad Mikula.

Solo había unos pocos clientes presentes, congregados alrededor de un programa temprano con la banda sonora de Lady Gaga. La chica en el escenario tenía la mirada aburrida y hosca de una chica stripper . Giró alrededor de un caño y puso su trasero en los rostros de los hombres sin cambiar la expresión de su rostro. Su tanga estaba forrada con billetes de cinco dólares.

Tom llevó sus cupones al bar donde una chica en bikini le sirvió medio vaso de cerveza tibia. Un rastro de manchas rojas brillantes recorría la parte interior de su brazo. Otras dos chicas que vestían tanga y tapa pezones, una de cabello negro y otra rubia, se acercaron a Tom.

"¿Ejército o marina?" Dijo la pelinegra.

"Eso es obvio, ¿verdad?" Dijo Tom.

"Una chica ve cosas que los chicos no ven. Pero mantiene la boca cerrada, no te preocupes. ¿Te gustaría una cabina privada?

"Claro", dijo Tom y dio una palmada de cien dólares en la barra. "Una botella de tu mejor whisky y tres vasos shot, por favor, cariño".

La cantinera entregó la botella y los vasos y miró a las otras chicas. "Perras afortunadas".

Las chicas llevaron a Tom a un reservado privado y corrieron una cortina roja a su alrededor. La pelinegra llenó cada uno de los vasos shot con whisky y les dijo que se los bebieran. Luego bebieron otro trago.

"Vlad es un amigo mío", dijo Tom. "¿Pueden transmitir mis cumplidos por su servicio?"

"Oh, sexy, somos mucho más interesantes que Vlad", se rió la chica, sentándose a horcajadas sobre Tom. "Y una chica no hace nada gratis".

Tom sacó su billetera y deslizó un billete de cien dólares en su tanga. La sostuvo firmemente por sus brazos y la miró a los ojos. Su expresión era tranquila, pero decía: "Haz esto ahora".

"Dile a Vlad que tengo un libro de cuentos. Luego las dos pueden irse".

Luego sacó un segundo billete de cien dólares, que le dio a la otra chica.

"Ve a decírselo ahora, pero deja la botella."

86

Se abrió la cortina roja y entraron cuatro hombres. El más alto de ellos hizo una seña a Tom, sonriendo. Luego, extendió las manos en un gesto de paz y se dio una palmada en el pecho y la cintura para indicar que no estaba armado.

"Tiene una pistola escondida en la parte de atrás de sus pantalones", pensó Tom, "o si no está armado, todos los demás lo están. Y Vlad está muerto."

Tom se levantó y siguió a los hombres mientras caminaban casualmente por el club. La música había dejado de sonar y la chica del escenario había desaparecido. Los clientes y las muchachas envueltas en manteles estaban siendo conducidos afuera por los dos gorilas.

Tom fue conducido a través de una sucesión de cortinas de encaje, luego a lo largo de un laberinto de pasillos decorados con carteles de porno vintage y más allá de tres puertas negras que decían "$ 10 por 10 minutos" y luego a una bóveda. Una puerta de acero se cerró detrás de él.

Dentro de la bóveda estaba sentado Cerberus. Detrás de él había un tapiz que llenaba la pared, enmarcado en oro, de un leopardo atacando a una cierva. A su izquierda, las cabezas cortadas de Vlad y su mano derecha, Emin, estaban colocadas en unas hieleras. Cada cabeza tenía un ojo abierto y un ojo cerrado.

"Bienvenido, Tom", dijo Cerberus mientras servía las bebidas. Señaló una silla con la botella. Los cuatro hombres permanecieron detrás de Tom mientras se sentaba.

"Veo que alguien jodió a Vlad al final", dijo Tom.

"Sí, un hombre tan vulgar; un chulo, una sanguijuela, un tonto. Déjame preguntarte, Tom, como padre tú mismo, nada menos que de hijas, ¿qué clase de hombre prostituye a sus hijas?

"Difícil de imaginar, estoy de acuerdo. Pero difícilmente impecable. Y olvidas que ya no soy padre".

"Es cierto, pero eso es cosa del pasado. Por favor relájate , toma una copa. No tenemos la intención de desarmarte o participar en un nivel violento. Seré rápido, ya que sin duda hay agentes en camino para arrestarme."

"Tom, no he olvidado que interviniste en los procesos de ScamTell en un momento bastante inoportuno y que mataste a mis dos asociados que visitaron tu casa. Luego, tu casa se convirtió en una fortaleza, lo que me impidió recuperar mi propiedad y, a su vez, enfureció a mi empleador. Sí, la culpa del director lo carcomió, ya que había fallado, como lo hace tan a menudo, en cumplir su promesa de mantener a tu familia a salvo y fortificó tu hogar."

"Estoy feliz de llegar a un acuerdo entre caballeros y te aseguro que una vez que me devuelvas mi propiedad, nunca más volverás a tener problemas".

"Acabas de intentar matarme".

"Yo no; Vlad. Te quería muerto porque el tonto todavía pensaba que tenías sus diamantes. Planeaba matarte a ti y luego a tus s hijas. Él le había dicho que las cambiarían por el libro, pero ese nunca fue el plan. Simplemente quiero que me devuelvan mi propiedad y una vez que se haga ese arreglo, bueno, adiós".

"¿Simple como eso? ¿Excepto que crees que mi gobierno o

el gobierno de Estados Unidos estarían feliz de que yo siguiera adelante y te e entregara algo de tal valor? ¿No crees que se han dado cuenta de que eres un descifrador de códigos? "

"¿Un libro de cuentos? ¿Un código? Tom, has pasado por mucho. Estás paranoico y estás equivocado. Soy coleccionista de objetos preciosos. Es simplemente un negocio. El libro es valioso solo en términos monetarios. Además, disfruto del trabajo de Chejov ov".

"Y, sin embargo, los hombres están muriendo a causa de ello".

"¡Hombres muertos! ¿Qué con eso? En serio, Tom, ¿eres tan ingenuo como para pensar que la vida humana vale algo? Un ferry se hunde en Malag a y cuatrocientos mueren, una fábrica arde en Antigua, otros doscientos muertos, un carro bomba estalla en Delhi, cien muertos e incontables heridos. Leíste los periódicos y eso fue la semana pasada."

"La gente muere todos los días por codicia o alguna ideología. Solo Occidente cree que la vida individual es valiosa. ¿Por qué un libro no debería costar vidas? La religión lo hace. Y la política exterior es el mayor asesino del mundo".

"Cerberus, has asesinado a Vlad y a su compañero. Me parece que el valor del libro aumenta con cada cadáver".

"Tom, eres un hombre ingenioso. Encuentra una manera de hacerme llegar el libro. Esto se está volviendo tedioso".

"¿O matarás a quién? ¿Mi hermano? ¿Entonces mis hijas? ¿Mi pareja embarazada? Lo has hecho de todos modos. El Leopardo solo necesita bostezar y estoy muerto".

"Tom, el Leopardo no mata a niños ni a mujeres; eso no le haría bien. Es fundamentalmente un maestro, un sanador. Está tratando de corregir el cáncer en el mundo, el cáncer de Occidente. Debemos hacer que la gente vea y luego crea. La muerte de Victoria, la muerte de tu hermano, tus hijas ... fue tu culpa".

"¿Mi culpa? ¿Crees que les disparé?" Tom se levantó de su

asiento, pero una gran mano en su hombro pronto se aseguró de que volviera a sentarse.

"Tom, si no fuera por tu hermano entrometido y tus propios actos imprudentes esa noche, mis hombres habrían tomado el libro y escapado fácilmente, y te habría dejado en paz. Créeme o no me creas; importa poco. Me traerás el libro o la alternativa ahora es el infierno en la Tierra".

"Ya estoy en el infierno y mataré al hombre que me trajo aquí".

87

"IRÉ A TU CASA, RECUPERARÉ MI PROPIEDAD Y SACARÉ TODO tu suburbio si es necesario; habrá una fuga de gas o un incendio o una sucesión de coches bomba. Los detalles del proceso son aburridos, pero ten la seguridad de que, sea cual sea el método que se utilice, será mortalmente efectivo, lo prometo."

"Tomar este camino no es mi primera opción porque, como dije, no nos gusta matar inocentes y estamos enmascarados por nuestro anonimato. Somos demonios con mil nombres y mil caras."

"Pero ahora que te has vuelto a comprometer con Operaciones Encubiertas, no veo más remedio que ofrecerte un mayor incentivo para que devuelvas el libro. Con lo que has dicho está claro que, sin una firme persuasión, les entregarías el libro a ellos y no a mí. No puedo permitir eso. Pregúntale a la comandante Tap o al director si pueden proteger todo un suburbio."

"Como dije, esto se está volviendo cansador , así que puedes irte ahora. Conduce a casa y lleva el libro al aeropuerto a las once y media de esta noche. Deja el libro en el contenedor cerca de la cabina de información de Qantas. El piloto de mi avión pronto lo tendrá para mí. Saldremos del país y nadie en tu ciudad será lastimado por nosotros ahora o en el futuro. Nadie necesita saber sobre esta conversación o la transacción. Le dirás a las autoridades que cuando llegaste aquí, yo me había ido."

"Ahora escucho el helicóptero de la Comandante Tap, así que debo irme. Puedes encontrar tu propia salida. Tiene suerte, Sr. Stiles, la mayoría de los hombres no me ven dos veces y viven. Así que, por favor, haz los arreglos necesarios. Me he entretenido demasiado en Australia".

Una vez más, Tom sintió que Cerberus lo había hipnotizado. El sonido del helicóptero penetró en su conciencia. Y luego recordó la foto de ultrasonido de su hijo y los cuerpos sin vida y empapados de sangre de Vic y sus hijas. "Vete a la mierda, asesino."

"Entonces morirás, sabiendo que hoy también morirán otros inocentes".

Los hombres detrás de él lo inmovilizaron contra la silla. Cerberus rompió el tapiz para revelar una puerta. Abrió la puerta y la atravesó hasta un túnel oscuro, su bastón golpeando el cemento, lento y rítmico, como el comienzo de los tambores de la jungla.

88

El hombre que había matado a su familia acababa de marcharse y Tom había sido privado de venganza.

Un hombre tenía las manos en la garganta de Tom mientras otro lo sostenía firme. Oyó que se afilaba un cuchillo en largos y resbaladizos barridos.

Entonces escuchó gritos en la calle. La Comandante Tap y refuerzos, supuso. Estos hombres tendrían que matarlo rápidamente. Luchó contra los brazos que lo inmovilizaban contra la silla.

Entonces, algo pesado golpeó la puerta de acero. Un hombre huyó instantáneamente al túnel. Los demás, distraídos, empezaron a discutir en un idioma que Tom no podía entender. Tom se puso de pie de un salto, dio media vuelta y buscó agarrar sus armas. Se las arregló para agarrar y sacar un M9, pero reaccionaron rápidamente y pronto lo sostuvieron contra la pared, con los brazos apretados para que el arma apuntara directamente al techo.

Tom pateaba, pero estaban entrenados para someter a un asaltante; Tom podía sentirlo en sus manos. Al final, un puñetazo en la muñeca liberó el arma. Otro hombre se acercó con una espada, un sable, listo para golpear. Tom logró darle una patada en la rótula al hombre que empuñaba el sable, y perdió el equilibrio, luego cayó como un castillo de naipes mal construido.

Uno de los tornillos del marco de la puerta cedió. El hombre alto se volvió hacia la puerta y cuando se dio vuelta, Tom lo golpeó con un cruzado de derecha que le partió la mandíbula y lo derribó.

89

La puerta cedió y seis francotiradores entraron corriendo seguidos por la Comandante Tap, con su arma desenvainada. Tres hombres yacían en el suelo. Uno con un cuchillo en el cuello, otro inconsciente, el tercero jadeando por aire con la garganta hundida. Pero no Tom.

Al ritmo máximo, Tom podía cubrir doscientos metros en menos de veinticinco segundos. Corrió por el túnel, con su arma recuperada lista y la linterna de su móvil iluminando el camino. El túnel se inclinaba hacia arriba y se curvaba dos veces y calculó que eventualmente saldría por algún escaparate abandonado.

Una rendija de luz del día brillaba debajo de una puerta. Un candado roto colgaba de una manija de acero vertical. Tom apretó la manija, empujó hacia adelante y salió.

Delante, como mucho, había unos sesenta Mercedes negros idénticos. Los autos se movían de manera constante, todos conducidos por conductores varones de diversas nacionalidades vestidos de negro con sombreros negros de punta.

Un hombre con un sujetapapeles dijo el nombre de un hombre, le entregó una gorra, y el conductor se subió a un automóvil y se marchó.

Tom conocía estos coches; eran omnipresentes en el aeropuerto de Sydney, ni oficialmente legales ni ilegales. Los conductores se acercarían a los pasajeros que desembarcaban, ofreciéndoles un servicio a precio de ganga en un vehículo de lujo. Aproximadamente cada hora, un locutor del aeropuerto aconsejaría a los viajeros que no utilizaran estos conductores. No eran sancionados por el aeropuerto y eran básicamente costras, socavando a las verdaderas empresas de taxis y, a menudo, intimidando a los pasajeros.

Tom pensó en dos cosas que Cerberus había dicho: coches bomba e infierno en la Tierra.

Encendió su teléfono en la vista y transmitió lo que estaba viendo a la Comandante Tap. La pantalla mostraba Mercedes negro tras Mercedes negro, uno tras otro, llenando la calle principal, en dirección este. Tom tuvo la sensación de que Tap veía las cosas lateralmente, como él.

Cerberus no atacaría el aeropuerto, a pesar de que los autos pasarían desapercibidos allí. Había demasiada seguridad con la que lidiar y era demasiado obvio. Además, mencionó a su piloto. No, Cerberus había dicho específicamente a los vecinos de Tom, la familia de Tom.

Pero una fila de autos negros con conductores de aspecto moreno no solo iba a entrar en Vaucluse y volarlo con tantos agentes allí. Cerberus necesitaba un pequeño agujero en la red...

"María, Madre de Dios", dijo Tom en voz alta.

Le envió un mensaje de texto a Tap: *Encuéntrame en la iglesia de la esquina de mi camino.*

Eso fue repentino, Tom. Apenas me conoces.

90

El hombre que encabezaba la procesión fúnebre vestía un traje rojo con borlas de oro. Llevaba un sombrero de copa negro alto y agitaba un bastón mientras caminaba. Detrás de él había una falange de trompetistas, cada uno con una medalla y cintas. Un largo rastro de autos negros avanzaba a paso lento detrás de ellos. Los trompetistas tocaron un canto fúnebre de Nueva Orleans y, junto al coche fúnebre, un hombre pequeño golpeaba con su bastón al compás de la música.

Avanzaron lentamente a lo largo de Vaucluse Road y, a medida que avanzaban, un coche a la vez, cada cien metros más o menos, se detenía y estacionaba frente a un césped limpio y bien cuidado con un camino de entrada limpio de hojas. Luego, el conductor salió del automóvil , volvió a meter las llaves y se marchó. La procesión avanzó, perdiendo un auto a la vez.

Vaucluse era un suburbio de familias con hombres que tenían buenos trabajos y mujeres que se habían tomado un tiempo libre de carreras igualmente buenas para criar a sus hijos. En diez minutos, la escuela local sonaría el timbre y los niños volverían a casa o se quedarían holgazaneando en el bar de la leche o en algún lugar a lo largo de su ruta a casa. Las madres regresarían de las compras y los autobuses escolares trasladarían a los equipos locales al entrenamiento deportivo.

Cuando el cortejo fúnebre estaba a solo seis autos de la casa de Tom, fue detenido por un policía. El director del funeral se adelantó para recibirlo y le tendió la mano. El oficial le estrechó la mano.

“Gendarme, disculpe, honro a mi padre , natal Orleans. Es nuestra... nuestra costumbre, ¿esa es la palabra correcta ? Un momento en la calle . Un momento ".

"No hablo mucho francés, señor. ¿Está preguntando si puede pasar? Tendré que buscar autorización. Sólo espere un momento, señor, y por favor retroceda”, dijo el oficial.

Contempló al anciano con su elegante bastón y a los trompetistas con la cabeza gacha. Se llevó el teléfono a la oreja, asintió con la cabeza y colgó. Cerberus golpeó el coche fúnebre tres veces con su bastón. Uno de los trompetistas sacó una pistola de su bolsillo y mató al policía a tiros. Un momento después, seis cuadras atrás, estalló el primer coche bomba.

91

DESDE EL HELICÓPTERO, TOM Y LA COMANDANTE TAP pudieron ver que las explosiones sistemáticas ocurrían a cien metros de distancia, cada cuatro minutos exactamente, dirigiéndose a la casa de Tom. Tap ya había cerrado el aeropuerto y desviado fuerzas allí a pesar de que sospechaba que la corazonada de Tom era correcta.

"Tenemos pocos refuerzos, Tom. Lo siento."

"Veo . Solo necesitaba una segunda suposición para equivocarme y sabía que sería así".

"¿Próximo movimiento?"

"Déjame entrar".

"No puedo hacer eso. Eres un civil. No puedo dejarte entrar".

Tom sabía que lo que estaba a punto de decir cambiaría su vida. Pero también sabía que el pulso despierto dentro de él nunca se calmaría. Nunca cesaría hasta que tuviera la sangre de ese asesino en sus manos. Quizás, por primera vez, reconoció que estaba motivado por la necesidad de hacer lo que podía gustarle a su padre. Ningún hombre puede resolver todos los problemas del mundo, pero uno puede evitar que un incendio dañe la propiedad de su vecino. Hacer lo que se pueda ; de eso se trata el voluntariado.

También había algo más. Se dijo a sí mismo que no era así, pero lo sentía en su cuerpo: Tom ya no era un hombre de familia. Su mente se había abierto para revelar un abismo. Y le gustaba mirar la oscuridad. Le provocaba alivio.

"Déjeme caer en el techo de mi casa, comandante".

"No puedo."

"El agente de OEZ, Stiles, lo solicita, comandante", dijo y saludó.

Stiles se balanceó sobre una cuerda y aterrizó en su techo. Quitó cuatro baldosas y se deslizó hacia su habitación del ático, perforando el aislamiento. Descendió a su casa, la casa que había construido con Helen, que ahora no parecía más que un campo de batalla. Escuchó otra bomba explotar, pero se sintió seguro de que Tap habría impedido que los niños dejaran la escuela y que ahora todos los agentes estarían comprometidos. Había una guerra fuera de su ventana.

Bajó a su estudio y escuchó a los hombres entrar en la casa. Se movían rápidamente de una habitación a otra, tal vez seis, tal vez ocho. Solo les tomaría un minuto llegar a él. No tenía suficientes balas para matarlos a todos, pero aún tenía dos granadas.

Sacó el Chejov ov de la estantería y lo arrojó al jardín. Volvió a meterse la pistola en el zapato, fue a su cajón y sacó su Lucky Strikes y su encendedor. Llenó el encendedor con líquido para encendedor, encendió un cigarrillo y examinó la habitación. Tomó una pila de libros de su escritorio y los arrojó detrás de la estantería. Guardó el encendedor y la pitillera en el bolsillo.

Los hombres estaban recorriendo los dormitorios y el salón. Estaban a una habitación de distancia.

92

Se intercambiaban disparos en la calle como si la ciudad hubiera caído en una guerra civil. Las pocas personas que aún estaban en casa, jubilados y desafortunados que habían tomado un RDO, habían sido contactados a tiempo y ahora se estaban escondiendo detrás de las gruesas paredes de ladrillo de sus casas, debajo de las camas, en los armarios o en la parte más alejada de sus grandes patios traseros. Todo el suburbio y los suburbios circundantes habían sido cercados . Todo estaba cerrado: electricidad, gas y agua.

Las escuelas habían mantenido a sus hijos en el interior y estaban rodeadas por la policía. El ejército llegaba en oleadas. El director había necesitado una llamada para lograrlo, una llamada a la Fortaleza. Esta llamada no fue para una sola persona. Ni siquiera tuvo que decir nada. Tap había alertado a todas las autoridades y todo lo que el director tenía que hacer era llamar a Linea Muerta directamente desde su móvil y los Guardianes de Operaciones Encubiertas se pusieron a trabajar. Tenían el poder y la autoridad para cerrar todo el país si fuera necesario.

Aun así, los muertos yacían por todas partes. Habían volado las fachadas de las casas y todavía no se podía llegar a los heridos debido a los enfrentamientos. Las calles estaban en llamas. Los trompetistas yacían muertos en la calle y algunos francotiradores y otros agentes habían recibido impactos. Parte de la procesión fúnebre había desertado tan pronto como el policía recibió un disparo, pero el resto había encontrado una buena cobertura y mantenía a los agentes ocupados.

Sobrevolando la escena de la batalla, la Comandante Tap estaba dando órdenes. El helicóptero sostenía el fuego a tierra, pero ella ordenó que se mantuviera en vuelo estacionario.

Cuando vio entrar una unidad del ejército, seguida de equipos de evacuación de emergencia y ambulancias del ejército, ordenó que el helicóptero regresara a la casa de los Stiles.

93

STILES SALIÓ DE SU ESTUDIO CON LOS BRAZOS EN ALTO Y UN cigarrillo en la boca. Le apuntaron cuatro pistolas. Lo empujaron al salón donde estaba sentado Cerberus, encorvado hacia adelante sobre su bastón. "Tienes una casa preciosa, Tom".

"Me alegro de que te guste."

"Qué lástima todo esto, Tom. Una pena. ¿Dónde está el libro?"

"El libro está en el estudio".

"Ve a buscarlo", ordenó Cerberus. "Puedes bajar las manos, Tom. Fúmate otro cigarrillo".

"Dímelo antes de que me mates. ¿Cuál es el valor real del libro? "

"Es un juego de niños, Tom. Un código simple contenido en la tecnología más poderosa del mundo: un libro. Ese código se puede reconstruir un millón de veces. Simplemente coloco las páginas rasgadas en ciertas secciones y recibo mis instrucciones, mi nueva identidad y los nombres de mis cómplices. Pero el código solo funciona con esa edición en particular, esa traducción en particular. Solo se imprimieron seis, solo dos todavía existen."

“Verás, Tom, esa edición fue un error de imprenta. Fue un error y la producción se detuvo de inmediato. La seguridad del mundo busca en la red, en registros de teléfonos móviles, y utiliza vigilancia y escuchas telefónicas, al mismo tiempo que cuestiona qué tecnología ha inventado el cerebro para volverse invisible en el mundo. A nadie se le ocurre buscar en un libro. Un libro inútil; un error.”

“Un hombre en una biblioteca pública con un lápiz ha mantenido al mundo entero esclavizado. ¡No necesita recurrir a YouTube! Leí esto una vez: “la limitación genera poder. La fuerza del genio proviene de estar confinado a una botella".

"Creo que he escuchado eso antes. Eventualmente lo encontrarán".

"¿En serio ? ¿Recuerdas jugar al escondite cuando eras niño? Hay un truco eficaz en ese juego: muévete al lugar donde el buscador te buscó por última vez".

Uno de los hombres de Cerberus entró y dijo que no podían encontrar el libro. Cerberus sacó del bolsillo lo que parecía un Colt y lo apuntó.

"Date prisa, Tom, o te mataré rápidamente".

“Jugando a las escondidas, Cerberus. De todos modos, cuanto más me demore, más vivo".

Cerberus disparó al pie de Tom. Tom se mordió la lengua. Se concentró, ralentizó su ritmo cardíaco, dominó su respiración. “Aguanta el dolor”, pensó. "¿Un cigarrillo más?"

“Ciertamente, pero estás perdiendo sangre rápidamente, si es que si la tienes; dime la ubicación exacta y luego te mataré de una bala en lugar de doce ".

“El libro está detrás de la estantería. Simplemente tira de ella hacia adelante. Es muy pesada. Necesitarás que todos la muevan".

Stiles fumó su cigarrillo. Afuera ya no había disparos, solo el sonido de un helicóptero y las sirenas. Stiles exhaló una última bocanada de humo. Luego arrojó el cigarrillo a la alfombra. Una pequeña línea de fuego corrió con él, a través del pasillo detrás de la estantería, a lo largo del rastro de líquido para encendedores que había dejado a su paso cuando se rindió. Cerberus lo miró, hipnotizado. Primero, un libro se incendió, luego otro. Cerberus se volvió para mirar a Stiles. Stiles le disparó dos veces en la cabeza. Entonces estallaron las granadas.

94

"Comandante, tiene tres meses para ponerlo en pleno funcionamiento y clasificarlo como agente de OEZ, ¿me comprende? Lo quiero listo".

"Sí, señor. Entiendo la presión bajo la que está . Lo convertiré en mi prioridad".

El director le estrechó la mano y salió de la habitación.

"Lo siento, Tom. De vuelta al trabajo, me temo. ¿Cómo están tus heridas?"

"Todo bien, sanando bien. Y en caso de que no lo haya dicho, gracias por ayudarme a salir de ahí. No podía exactamente moverme a toda velocidad".

"Cosas de cumplimiento del deber, Tom. Cualquier soldado habría hecho lo mismo. ¡Aunque necesito trabajar un poco en mi descenso! "

"Dime, antes de trabajar para el director, ¿qué más hiciste?"

"Hice mi entrenamiento de oficial de manera encubierta mientras competía en judo. Estuve con los Royal Marines con base en Lympstone, Devon, en el Reino Unido, durante más de un año, y luego unos años en el cuartel general del comando estratégico de la OTAN en los EE. Luego, de vuelta en el Reino Unido, trabajando tanto para MI5 como para MI6. El ejército ha sido mi vida."

"El director me contrató para este trabajo mientras estaba en Atenas en 2004. Me sorprendió con esta oferta. Sabes, no sé si fue una coincidencia que se topara conmigo en ese momento hasta el día de hoy".

"Muy impresionante, Comandante."

"¿Algo más que necesites saber?"

"Sí, ¿cómo funciona el pase duro?"

"Entonces, al grano. Tu pase duro, como el de todos los titulares de pases, se ha cargado con las especificaciones de tus huellas digitales. Los sensores de pase intentarán coincidir con la huella del usuario en el momento del deslizamiento real. Por lo tanto, si las huellas dactilares del usuario no coinciden con las especificaciones estrictas, no funcionará".

"Gracias, comandante." Stiles asintió.

"¿Algo más que necesites discutir? Y por favor, llámame Alex".

"Mira, Alex, para prepararme adecuadamente para el primer trabajo siento que necesito asesoramiento profesional. Necesito ayuda."

"Dime por qué."

"Bueno, ya sabes sobre mi Victoria, mis hijas y mi hermano. Pero solo Paul sabía que Vic estaba embarazada. Estábamos esperando un hijo. Si no obtengo ayuda, no sé qué terminaré haciendo antes de destruirme. Todo esto sucedió y todavía estoy vivo".

"Te e proporcionaré toda la orientación profesional que necesites s. Una vez al día durante tres semanas, veremos cómo te va. Tenemos tres meses, Tom. Lamento profundamente tus pérdidas. Sé que no es lo mismo, pero ahora eres parte de la familia OEZ. Cuidamos de nosotros mismos."

95

Una luz roja penetrante atravesó la oscuridad un viernes por la mañana, horas antes del amanecer, tres meses después. Un hombre estaba sentado solo en la bahía de carga de un RAAF Boeing C-17 Globemaster a 31.000 metros.

La Operación Velocidad de Giro estaba en marcha. Sobrevolaban el Estrecho de Florida en el Golfo de México y la zona de caída estaría a más de ocho kilómetros de la costa de Cuba, cerca de la remota localidad peninsular de La Boca.

Cero trescientos. Vestido con un mono de gran altitud con un casco sellado con oxígeno, Stiles estaba listo para saltar. Había hecho cuarenta minutos de respirar oxígeno al 100% para eliminar el nitrógeno de su torrente sanguíneo. Estaba a treinta y un kilómetros sobre la superficie de la Tierra, con una temperatura facial de menos cuarenta y cinco grados Celsius. Repasó mentalmente el procedimiento de salto: caída libre hasta la velocidad final, luego desplegar el paracaídas a un nivel de no menos de mil metros.

"Whisky, foxtrot, hotel: Zero Diez Delta hasta la base, ven en la base. Cambio."

"Base a whisky, foxtrot, hotel - Zero Diez delta llegando

alto y claro. Cambio." Stiles reconoció la voz de la Comandante Tap incluso a través de la transmisión distorsionada.

Base, este es whisky, foxtrot, hotel, Zero Diez Delta solicitando permiso para entregar Gran Pájaro. Cambio."

"Whisky, foxtrot, hotel: Zero, Diez Delta, esta es la base, luz verde para entregar Gran Pájaro, te copio . Cambio."

Tom miró alrededor del compartimiento de carga, hizo un rápido asentimiento al Loadmaster y se dirigió hacia la parte trasera abierta del C-17. La luz roja sobre el borde de la puerta rebatible parpadeaba.

Stiles miró hacia abajo, su pulso resonando en su casco. El mar estaba allí abajo, en algún lugar de la oscuridad de la noche. Pensó en su esposa, sus hijas, Victoria y Terry. Pensó en sus padres. Pensó en Natasha.

La raíz de todo ese dolor todavía estaba ahí. Cuando Tom puso dos balas en la cabeza de Cerberus, había matado al mono, no al organillero. El Leopardo era lo que Stiles quería ahora. Todo lo que quería. Tenía hambre de matar.

Stiles centró su atención en la Comandante Tap y su primera misión. La luz se puso verde y Tom Stiles se sumergió de cabeza en la oscuridad...

Querido lector,

Esperamos que hayas disfrutado leyendo *Operaciones Encubiertas: Zulú*. Tómese un momento para dejar una reseña, incluso si es breve. Tu opinión es importante para nosotros.

Atentamente,

Arthur Bozikas y el equipo de Next Charter

Operaciones Encubiertas: Zulú
ISBN: 978-4-86751-651-5

Publicado por
Next Chapter
1-60-20 Minami-Otsuka
170-0005 Toshima-Ku, Tokyo
+818035793528

5 Julio 2021

CPSIA information can be obtained
at www.ICGtesting.com
Printed in the USA
LVHW090920270721
693809LV00001B/85